新 潮 文 庫

アントニオ猪木自伝

猪 木 寛 至 著

新 潮 社 版

6430

プロローグ

雲ひとつなく青い空がどこまでも広がり、すらりとしたパームツリーが隊列を作って規則正しく立ち並んでいる。

緑のじゅうたんの中に色とりどりの花が咲き乱れ、人影のない街路をリスが走り抜けて、パームツリーを登っていった。

サンタモニカの乾いた風が、心地よく頬をなぜながら通りすぎていく。

その風の声に耳を傾けたとき、四月四日東京ドーム、あの七万人の猪木コールが異様な響きとなってよみがえってきた。

いつも私には、同時にさまざまなことが起きる人生が待っているのかもしれない。それにしても、あわただしい時間が過ぎ去っていったものだ。プロレス人生の幕引き、新日本プロレス会長辞任、娘の日本での結婚式、そして一家をあげてのアメリカ移住と、まるで桜の花が満開となってあわただしく散っていく姿にも似て、駆け急ぐように一時に多くの事を成してきた。

ノースサンタモニカに住居を移し、どれほどの日にちがたっただろうか。引っ越しも一段落して庭先の芝に仰向けになって体を休めると、カリフォルニアの太陽がまぶしいほど降り注いできた。手を空にかざして陽を除《よ》けながら、指折り数えてみれば、一週間の時があっという間に過ぎ去っていた。

三十八年間走り続けてきた私に、神様がほんの一瞬だけ、休みをくれたのかもしれない。

静かに目を閉じると光の残像が額の奥へと広がり、その光がビームの筒となって、自分がその中へ吸い込まれていくような、時間も空間もない心地よい世界へ導かれていく。そして今までに起きた良きこと、悪《あ》しきこと、総《すべ》てに感謝できる素直な自分が見えてきた。

昨晩のレストランでの食事のあと、サンタモニカの名所、プロムナードショッピング街を歩きながら、シガーショップで一本の葉巻を買った。くつろいだ気分の中で、映画のシーンのようにちょっとかっこをつけてみたく、葉巻を口にくわえ火をつけてみる。葉巻の煙が明るい陽射《ひざ》しの中に散っていくのをぼんやりと眺めていた。

気がつくと、日頃、接することの少なかった息子が体をすりよせて私の横に座っていた。シャツを脱がせて二人で日光浴を楽しむ。まどろむ中でいつのまにか芝生の上を飛び跳ねて昆虫探しに熱中している息子の姿に気づいて、オレは父親として失格だったかなあ、とそんな思いにふけっていると、「お父さんお父さん、見て」と興奮した息子の呼ぶ声がした。体を起こしてそばに行くと、息子は蟻《あり》の大群を興味深く見つめていた。息子が私の口にくわえた葉巻を奪い、列をなした蟻に葉巻の火を付けようとした。私が「蟻君もいっしょうけんめい生きているんだ、殺すのはやめようよ」と言うと、息子は不思議そうに私の顔を見ながら、うなずいた。

目次

企画　加治将一
構成　天願大介

アントニオ猪木自伝

1　生い立ち　鶴見の少年時代

左から一人おいて兄・宏育、弟・啓介、姉・久恵とその夫、
著者、祖父、兄・寿一、妹・佳子、姉・京、兄・快守

今でも、私のことをブラジル日系二世だと思っている人がいるらしいが、私は生粋の日本人だ。

私、猪木寛至《かんじ》は、昭和十八年二月二十日、父猪木佐次郎、母文子の九番目の子として、神奈川県横浜市鶴見区生麦町一六八七番地に生まれた。生まれたときはそれほど大きくない、普通サイズの赤ん坊だったという。

父は私が五歳になる直前に死亡している。だから、私にはほとんど父の記憶がない。後から聞いた話によれば、父は鹿児島の出水《いずみ》の出身。熊本一中から関西大法科を卒業し、内務省に入省した。警察畑で順調に出世していたらしい。二十三歳で警部補になったと聞いている。

あるとき、父は汽車で貫禄《かんろく》のある人物と相席になった。話を交わすうちに意気投合し、すっかり気に入られてしまった。父は私の母と結婚する前に、最初の妻と死別していた。そのことを話すと、相手は、それならうちの娘を貰《もら》えばいいではないか、と強引に奨《すす》める。

その相席の男というのが私の祖父の相良寿郎で、結局、父は母と再婚することになったのだった。そんなことで縁談がまとまるとは、いくら昔でも随分乱暴な話だと思うが、祖父の性格を考えると嘘《うそ》ではなさそうだ。祖父については後で詳しく述べる。

母との結婚を機に父は警察を辞め、商売を始めることにした。

鶴見は川崎の工場街に近い。その地の利を生かし、石炭商を始めたところ、これが大当たりとなる。商才もあったのだろう。戦時中は日本鋼管の燃料を一手に引き受けていたというから、私が生まれた頃は相当な景気だったようだ。

我が家の生活も贅沢《ぜいたく》なものだったというが、残念ながら、私にはまったく記憶がない。

戦後、父は吉田茂に誘われ、自由党の結党に参加した。実業家から政治家への転身をはかったのである。

だが、そううまくはいかないのが人生だ。横浜市会議員に立候補するが、惜しくも落選。しかし父は諦《あきら》めず、次の衆議院に出馬することが決まっていたという。もし死なければ、吉田茂の片腕として、大物政治家になっていたかもしれない。

昭和二十三年の二月十日に一番下の弟が生まれた。その翌日、父は心筋梗塞《こうそく》で死んだ。突然の死だった。出産の翌日に葬儀の準備では、母の気苦労は大変だったと思う。

私の兄弟は十一人。男七人、女四人で、私は九番目の六男である。当時としても、大家族であることは間違いない。

一番上の兄・健郎と二番目の兄・康郎は、父の先妻の子だった。健郎は予科練を出て戦艦陸奥《むつ》に乗っていたが、私の生まれた年に戦死している。だから私は顔も知らないのだが、ちなみに、この兄は映画が好きで、松竹の助監督試験に受かって、そのまま戦争に行って死んでしまったという。

さて、母は出産直後に十人の子供を抱えて、未亡人になってしまったわけだ。しかも戦後の混乱期。食糧事情も悪く、女一人ではこの家族を支えるのは無理だった。

そこで、私と三番目の兄・寿一と三女の京《みやこ》は、近くに住んでいた祖父に引き取られることになった。残りの兄弟は今まで通り、母と暮らす。

祖父の家は鶴見の総持寺の近くの高台にあり、母たちは市場町の工場の近くに住んでいた。私たちは祖父の家を「山の家」と呼び、母の家を「工場の家」と呼んだ。

「山の家」は祖父が景気のいい頃、別荘として買った家で、六百坪ぐらいの敷地に、百十坪の茅葺《かやぶ》きの平屋が建っていた。広い庭には築山《つきやま》があり、池があり、様々な木が生えていた。鶴見の名物だった杉の巨木もあった。枇杷《びわ》や桃や柿《かき》、無花果《いちじく》など、果樹も多く、秋には紅葉が見事だった。

この「山の家」で私の記憶は始まる。

父の顔を知らない私にとって、祖父が父親代わりの存在だった。私はこの祖父から随分影響を受けている。

祖父は、よく言えば豪傑、悪く言うと山師的な、スケールの大きい快男児だった。良いときは天下を取る勢いだが、悪いときは無一文になってしまう。とにかく極端なのである。それだけに、祖父には独特の人間的魅力があったと思う。私はこの祖父が大好きだった。何しろ中学生になっても、祖父の布団《ふとん》に潜り込んで寝ていたのだから。

祖父はよく私たちに「乞食《こじき》になっても世界一の乞食になれ」と言った。世界一の乞食と言われても、どんな乞食なのかよくわからなかったが、言わんとすることは何となく伝わった。男なら何でも一番を目指せ。どの道でも世界に通用する人物になってみろ。そう言いたかったのだろう。

だから私たち兄弟が夢を語るときは「石油王になってみせる」とか「俺は牧場王になる」とか、とにかく誰の夢にも「王」がつくのである。いまだにそうなのだから、困ったものだ。

もうひとつの祖父の口癖は、「心の貧乏人にだけはなるな」というものだった。

もともと相良家は、祖母の血筋で、熊本の相良藩主の末裔《まつえい》だそうだ。つまり祖父は婿《むこ》養子に入った形になる。

相良家は、江戸時代になると宇都宮の戸田家の御用商人として羽振りをきかせ、金山をはじめとして大変な資産を持っていたという。祖父はその資産を元手に、相場師として華やかな活躍をしていた。若い頃は日本の米相場を動かしていたほどの大物だった。ところがあるとき、祖父の留守中に、番頭が騙《だま》されて保証人の判子をついてしまったのがもとで、財産を一夜にして失ってしまったのである。

余談だが、その騙された番頭には息子がいて、それが往年の大スター、鈴木伝明。祖父はその番頭を恨むでもなく、後に伝明さんを家に住まわせて、学校も出してやった。だから、私が幼い頃、よく伝明さんが家に遊びに来ていたのを覚えている。

他にもいろんな人が居候《いそうろう》していた。父の関係で鹿児島の人も多かったし、迫水久常さんや後の全日空の副社長が住んでいたこともある。

ちなみに東大の総長だった林健太郎は、祖父の兄弟の子供、つまり私の母の従兄弟《いとこ》にあたる。

祖父には子供が五人いたが、すべて女だった。それで相良の血を絶やさないために、私の兄・三男の寿一が祖父から「寿」の一字を貰い、相良家を継ぐことになっていた。祖父自身も婿養子だったわけだし、当時は珍しいことではなかった。

父の死後、猪木家の経済状態は徐々に悪くなっていたようだ。一時は景気がよかった家業の石炭商も、時代が変わって石炭の需要が低下し、業績は下降線をたどることになった。

祖父は隠居してもおかしくない年だったけれど、まだいくつも会社を経営していた。

だが、どれもそれほど成功してはいなかったようだ。食うに困ることはなかったが、かつてのような贅沢は許されない状態だったと思う。

祖父を頼って、いろんな客が金を借りに来たのを覚えている。そんなとき、祖父は機嫌よく彼らに清酒をふるまい、スキヤキを作って御馳走《ごちそう》してやっていた。その頃はまだ食料難の時代だ。牛肉や清酒なんてとても庶民が口に出来るものではない。祖父は見栄《みえ》っ張《ぱ》りだったのである。祖父の見栄のために、祖母が質屋に通って金を作っていたというのが真相のようだ。

祖父は優しかったが、躾《しつけ》だけは厳しかった。

家での私の仕事は、廊下の掃除と、薪《まき》割り。風呂《ふろ》の水汲《く》み。とにかく広い家だったから、廊下を拭《ふ》くだけでも子供には重労働である。それに水汲みが大変だった。井戸から汲むのだが、風呂まで何往復もしないと風呂桶《おけ》は一杯にならない。

学校へ行くようになってからも、毎朝ちゃんと掃除を終えていないと、絶対に学校に行かせて貰えないのだ。遅刻しようが先生に怒られようが、決められた自分の仕事を責任持って終わらせなければ、家の外には出さない。そういうケジメだけは厳しく守らされた。

「山の家」には祖父と祖母、それにばあやがいた。

祖父には強い影響を受けたが、どうも祖母の印象は薄いのである。祖母というと、いつも薄暗い台所に立って家事をしている姿を思い出す。自分は一歩下がって、しっかりと家を支える、昔の日本の女だった。料理が上手で、よく烏賊《いか》飯を作ってくれたのを覚えているが。

祖母は私が小学三年のときに亡《な》くなっている。

私は広い庭を走り回って育った。よく木によじ登っては、果実をもぎとって食べた。近所の悪ガキと間違われて祖父に竹の棒で叩《たた》き落とされたこともあった。晴れた日に屋根に登ると海が見えた。

小さい頃は、ひとりで遊ぶことが多かったと思う。

兄の寿一とは十歳も年が離れていたので、あまり遊び相手にならなかった。寿一はバンカラ学生で、柔道や空手をやっていたので、たまに稽古《けいこ》の相手をさせられる。巻き藁《わら》代わりに蹴《け》られたり、投げ飛ばされたり。痛いだけでちっとも面白くない。

幼い頃、離れて暮らす母に会いたくて、姉とふたりで「工場の家」まで行った記憶がある。「工場の家」まで生麦から電車でちょうど二駅。大人の足でも一時間以上かかるのではないだろうか。とにかくあのときは、どんなに歩いても歩いても、着かなかった……。

今から思えば、一番多感な時期に母と分かれて暮らしていたのだから、愛情に飢えていたのかもしれない。

私は目立たない、ボーッとした子だった。要領が悪く、のろまで、家での渾名《あだな》は「寛至」に引っかけて「ドンカン」。

一歳半の頃、空襲警報が鳴って家族は防空壕《ごう》に逃げ込み、そのまま私だけ置き去りにされたことがあったらしい。

戦後も、防空壕で兄たちと遊んでいて、置き去りにされてしまったことがある。最初は怖くて泣き叫んでいたが、誰も来ない。そのうち、暗闇《くらやみ》の中で眠っていたところを助け出された。それが祖父の気に入ったらしく、「寛至は豪胆な奴《やつ》だ」と誉《ほ》めてくれたのを覚えている。

あれは小学校一年生ぐらいのときだったろうか、姉と一緒に母のところに行った帰りに、金を持たずに電車に乗った。つまりキセル、ただ乗りである。要領のいい姉は素早く改札を出たのに、私はぐずぐずしていて捕まってしまった。姉は駅長室でさんざん怒られ、いまだに「あのときは恥をかいた」と私を責める。

とにかく要領の悪い、鈍い子だったのだ。

いわゆる自我の発達も遅かったと思う。少年時代のことを思い出そうとすると、何だかすべてが重い灰色の霧に覆《おお》われているようで、曖昧《あいまい》なのである。特に輝かしい思い出や、嬉《うれ》しくて飛び上がったような記憶がない。

兄弟の中でも学校でも、私は大人しい、自己主張の出来ない子だった。突出した能力があるわけでもなく、むしろすべてにおいて劣っていたのだから、自分に自信が持てるわけがない。だから、自然と、引っ込み思案な子供になっていた。

しかし、身体《からだ》だけは誰よりも大きくなった。横浜市立東台小学校に入学したときは六十人中、前から十番目だったから、それほど大きい方ではない。ところが三年生から急に成長して後ろから三番目になり、四年で後ろから二番目、五年生で全校一の身長になった。

私が大きくなりだした頃、祖父は客が来ると、私を呼びつける。座敷に行くと「手を見せろ」と言う。手を出すと、今度は「足を見せろ」と言う。そして、客に「でかいだろう、この寛至の手は」と自慢するのである。昔の人は、身体が大きいということを特別に評価し尊敬するところがあったが、それよりも私に自信をつけさせようとしてくれたのだろう。逆に言えば、褒めようにも他に褒めるところがなかったということになるが。

しかし私にとっては、そんなことでも、褒められると嬉しかった。「僕は他の子と違う」と言い切れるものが何もなかっただけに、少なくとも自分の身体の大きさには自信を持った。

こんな思い出もある。

あるとき、みんなが集まって雑談していると、祖父が「おい、寛至、お前は何になりたい？」と聞く。何かを期待している顔だ。わからないので黙っていると、ヒントをくれる。

「『そ』がつくものだ」

「……そば屋？」

「馬鹿《ばか》、『ぞーり』から点々を取ってみろ」

結局、私に総理大臣と言わせたいのである。

言うまで許してくれないから、仕方なく「総理大臣」と言うと、とたんに祖父は「寛至は大物になるぞ」と上機嫌になる。

兄たちが「おい、ドンカン」と私を呼ぶと、「寛至はドンカンなんかじゃないぞ」と庇《かば》ってくれたのも祖父だった。

子供心にも、祖父が私に自信を持たせようとしてくれたことはわかったし、嬉しかった。

だが実際、私が「ドンカン」な子だったのは間違いない。

学校の勉強はまるで苦手だった。当時は各学級の生徒の数は今の倍以上だから、先生もいちいち劣等生を見ている暇なんかない。トコロテン式に押し出すだけだ。

六歳で生まれが三ヶ月違うと、一年の差が出来るという話を聞いたことがある。十二ヶ月なら四年の差だ。早生まれの私は、同級生について行くのがやっとだった。

授業はちんぷんかんぷん。一日中、ただじっと座っているのはたまらない苦痛だ。いつも早く授業が終わらないかと、そのことばかり考えていたのを覚えている。

最初は意識していないが、小学校の後半ぐらいになれば、さすがに自分が劣等生であるという自覚が生まれる。だから、ますます自分に自信がなくなる。

記憶の中の学校の風景といえば、一人だけ廊下に立たされていたことや、居残りを命じられて暗くなった教室に座っている自分の姿……まったく、ロクな思い出がなかった。

身体はでかかったし、力もあったから、相撲は強かったが、争い事が嫌いで、喧嘩《けんか》したり暴力を振るったことはない。

いや、一度だけ喧嘩したことがある。

家の近くに朝鮮部落があった。私は祖父に言われてよくそこに濁酒を買いに行かされたのだが、あるとき、その朝鮮部落の女の子が、いじめられているところを目撃してしまった。服が汚いとかニンニク臭いとか罵《ののし》られ、その子は悔しくて涙を流していた。私は子供心に、許せない、と思った。それでそのいじめっ子たちを待ち伏せして、大喧嘩し、やっつけたのである。その当時の私は差別という言葉の意味も深くは知らない。ただ弱い者いじめが大嫌いだっただけだ。

あの頃、東台小学校は生徒の数が多くて、一部と二部に分かれ、登校時間が別だった。一部と二部の生徒同士は組ごとに張り合っていて、よく集団で喧嘩になった。

私は大きかったので上級生に目をつけられ、待ち伏せされたり、大勢で追いかけられたりしたこともあった。そんなときも恐ろしくて、ただ逃げるだけだった。

一度は追いかける側が角材を振り回して迫って来た。逃げ足の遅い私だけが取り残され、危うく殴られそうになったところ、近くの大人が助けてくれて、何とか殴られずに済んだ。

「黄金バット」という渾名の年上の悪ガキがいて、私はその子分だった。

仲間たちとスイカ泥棒しても、いつも私だけが逃げ遅れる。図体《ずうたい》がでかいだけに目立つし、動きが鈍いからすぐ捕まって説教を食らう。

ボーッとしているうちにいつのまにか（実感としてはそんな感じなのだ）小学校を卒業した私は、横浜市立寺尾中学校に入学した。入学のとき、すでに身長は百八十センチ近くあったから、私は寺尾中学校の中で既に一番大きい生徒だった。

ところが、でかすぎて身体に合う学生服がないのである。これには困った。大学生の兄の服ですら着られないのだから。

それで仕方なく、野毛山の古着屋で進駐軍払い下げの背広を買って来て、姉に黒いネクタイを締めてもらい、その格好を制服の代わりにすることにした。

もうひとつ問題があって、学校指定の運動靴もサイズがない。で、これは兄の寿一の下駄を借りることにした。兄はその頃、拓殖大学の空手部にいたので、下半身を鍛えるため下駄の朴歯《ほおば》に重い鉛を入れていた。そのごつい高下駄を履いて、入学式に臨んだのである。

自分では中学になっても目立たない生徒だったと思っていたのだが……今考えてみれば、百八十センチの身体で、鉛入りの高下駄履いて、背広に黒ネクタイで通学していたのだ。少し変わった中学生だったかもしれない。

最初のうちは毎朝、同級生が誘いに来た。一緒に歩いていても、私だけ飛び抜けてでかいものだから（しかも高下駄を履いている）、同級生がみんなスッポリ脇《わき》の下に入ってしまい、みんなを腕にぶら下げて登校する。先生も見下ろす感じになる。

だが、小学校でもついて行けなかったのだから、中学の授業なんてまったく理解できない。それでそのうち、朝、学校へ行くのがおっくうになってきて、私だけ遅刻するようになった。

一時間目の授業の途中ぐらいに、高下駄の音も高らかに学校の廊下を歩いて、ガラガラと教室の戸を開けて後ろの席に座る。先生も何も言わなかった。一度、白墨をぶつけられたので、この野郎と睨《にら》みつけたら、先生は何も言わなくなった。

あまりいい生徒ではなかったわけだが、特別不良だったわけでもない。中学生になっても暴力沙汰《ざた》は嫌いで、大人しい生徒だったと思う。

小学校時代と変わらず、授業のときはただじっと座っているだけ。私はいつも一番後ろの窓際《まどぎわ》の席で、陽がさしてくるとポカポカと暖かく、もう眠くてたまらない。授業中はいつもウトウト眠っていた。試験も白紙で出したりして、完全な落ちこぼれである。

勉強しなくても腹は減る。食べ盛りだけに、でかい弁当箱は午前中の二時間目か三時間目には空になってしまう。その頃はみんな白米を食べていたのに、祖父は健康に気をつけていて、家だけは麦飯だった。当然、ドカ弁の中は麦飯。それが恥ずかしくて、新聞紙で隠しながら食べたことを思い出す。

昼時間になると、当然ながら私の弁当は麦粒ひとつ残っていない。だがいつも、友だちが弁当を少しずつ分けてくれた。弁当よこせなんて恐喝まがいのことはしていない。身体が大きいから、みんな同情してくれたのだろう。

寺尾中学は野球が強く、運動部の活動も盛んだった。ズバ抜けて背の高かった私は、すぐバスケット部に勧誘された。バスケットなんてやったこともなかったが、何となく面白そうだったので入部することになった。

背が高くたって運動神経がいいわけではない。逆に急に背が伸びたために、私は身体を持て余していたのだ。体力はあったが、とっさの反応も、動きも鈍く、お世辞にもバスケット向きではなかった。それでも練習を続けていたけれど、夏の合宿が過ぎ、二学期になった頃、私は事件を起こしてしまったのである。

ある土曜日の放課後の練習中のことだ。一人の上級生が私を「おい、うすのろ」と罵《ば》倒《とう》して、突然、顔にボールをぶつけてきた。そんなことをされる理由なんてない。日本の運動部の伝統、シゴキと称するいびりである。一瞬、小さな怒りを覚えたのだが、それでも私は何もしなかった。喧嘩は嫌いだったし、相手は一応上級生だ。

すると、更に「うすのろ！」と言いながら、私の横顔に、またボールを思い切りぶつけてきた。痛みで顔が痺《しび》れた。鼻に手をやると、血が出ていた。

途端にカッと血が頭に昇った。自分でも戸惑うほどの激しい怒りの感情が湧《わ》き上がり、何も考えられなくなった。私は何か叫びながら上級生に突進し、一気に足払いをかけた。上級生は一回転して、床に叩きつけられた。

すべては一瞬のことだった。他の上級生も、手を出さず、ただ見ているだけだった。それほど私の怒りは凄《すご》かったのだろう。

上級生は肩を脱臼《だっきゅう》し、祖父が学校に呼び出され、私は謹慎処分となった。

怪我《けが》をさせたのは済まないと思うが、私は自分が悪いとは全く思わなかった。祖父は不正には厳しかったが、理不尽なことは決して押しつけず、私は自由に育てられてきた。

先輩だからひどいことをしてもよいという感覚は、私には理解できない。第一、攻撃してきたのは上級生の方ではないか。

上級生はシラを切り、一年生部員たちも私を庇ってくれなかったので、私だけが悪者にされてしまった。結局、バスケット部は退部。私は一躍、学校中の注目の的になってしまったのである。

四兄の快守《よしもり》はその当時、県立鶴見高校陸上部の長距離の選手で、東京―箱根間駅伝にも出場し、神奈川県下では結構有名だった。その兄が私のことを心配し、担任の先生に相談したりして、私は陸上部に入部することになった。

しかし走るのは遅いし、飛ぶのも苦手。消去法で残ったのが、投擲《とうてき》競技、砲丸投げだった。先生が倉庫の中から砲丸を持って来た。

手にとると、冷たい小さな鉄の玉は思ったより重い。しかし腕力には自信があったから、あのあたりまでは飛ばせるだろうと目で見当をつけ、力任せにぶん投げた。

ドスンと音を立てて、砲丸は足下に落ちた。

おかしい。自分がイメージしていた場所はずっと遠くなのだ。私は力だけは人一倍ある筈《はず》ではないか。渾身《こんしん》の力でまた投げてみた。

ドスン！　全然、飛ばない。そんな筈はない。また投げる。

ドスン！　駄目だ。今度こそ！

——いつの間にか、私は夢中になっていた。

砲丸は腰のバネを使って飛ばさなければならない。だから腕力に頼っていては遠くに投げられない。悔しくて工夫しているうちに、それがわかってきた。

陽が落ちる頃、私はへとへとになっていたが、少し遠くに砲丸を飛ばせるようになっていた。それが、何だか妙に嬉しかった。こんな気持ちは初めてだった。そのとき、私はそれまでの人生になかった「何か」の手応《てごた》えを感じていたのだ。

よし、明日はもっと遠くに投げてみせるぞ……。

子供というのは不思議なもので、何かのきっかけで、突然、目覚めることがある。何かに出会うことで、運命がガラリと変わることもある。私の場合は、それが砲丸だったのである。

それまで学校に居場所がなく、いつも劣等感に押し潰《つぶ》され、灰色の霧がかかっていた少年時代。それが、砲丸を投げたあのときに、一瞬にして鮮やかな天然色に変貌《へんぼう》したようだった。

一旦《いったん》、面白さを感じるともう止まらなくなった。私は、来る日も来る日もグラウンドに立って、四キロの鉄の塊を投げ続けた。バスケットのような団体競技よりも、一人で鍛錬することが記録に繋《つな》がる個人競技の方が、本来、私に向いていたのだろう。

あの頃はとにかく砲丸を持つだけで幸福になれたのである。家族も先生も驚くほど、私は砲丸に夢中になっていた。本当に初めて、夢中になれるものを見つけたのだ。

あんなに学校に行くのが嫌だったのに、砲丸を投げられると思うと行きたくてたまらないのだ。期末試験の前は、クラブ活動はしばらく停止になるのだが、先生の特別な計らいで私だけは許されていた。私はいつも砲丸を持ち歩き、家に帰ってからも庭で練習した。

寺尾中学のグラウンドは、西側にトウモロコシ畑があって、その向こうに富士山が見える。

放課後、陽が落ちていくグラウンドに立ち、見事な夕焼けに赤黒く染まった富士山目がけて、私は一心に砲丸を投げる。

雨が降ろうが、雪が降ろうが、とにかくグラウンドに立って投げる。

砲丸は落ちるときに土埃《つちぼこり》を跳ね上げ、地面に小さな穴を作る。何度も何度も同じところに投げていくと、その穴が広がって溝ができてくる。最初は下手でも、投げ続けていれば、その溝がだんだん遠くに広がって行くことになる。

昨日よりも今日、今日よりも明日……。諦《あきら》めずに投げ続けていれば、記録は一センチ、二センチと、富士山の方へ伸びていく。それが何よりも嬉しかった。

いつかきっと、富士山まで砲丸が届く。そんな気がした。

放課後、授業が終わると、教室を掃除することが義務づけられている。当番は床の雑《ぞう》巾《きん》掛けをしなければならない。普通は、一つずつ机と椅子《いす》を運んでから床を掃除するのだが、一刻も早くグラウンドへ行きたい私は、大きく手を広げ、机と椅子を全部まとめて一気に後ろへ寄せる。まるでブルドーザーである。そして物凄い勢いで床を拭《ふ》いて、グラウンドに飛び出して行くのだ。

後にブラジルへ行くことになって、同級生が寄せ書きをくれたが、ある女の子が「猪木君と掃除するときは見ているだけで、何もしなくていいから楽でした」と書いたぐらいだ。

それだけ砲丸にのめり込んだのだが、記録的には大したことはなかった。一応、先生が指導してくれはしたが、ほとんど我流で投げていたようなものだ。それに私には記録なんてどうでもよかった。砲丸を投げているときだけは、私は最高に充実していたのだから。

——こうして、やっと私は目覚めたのだった。

それまでの私の人生に欠けていた喜びと輝き、生きている充実感は、四キロの冷たい鉄の玉の中にあったのである。

そして、後にこの砲丸が私の人生を思わぬ方向に導いてくれることになるのだが、そのときは無論、知る由《よし》もなかった。

中学に入った頃、ふたつに分かれていた家族が一緒に暮らすことになった。結婚した上の姉が保母の資格を持っていて、鶴見の「山の家」を二階屋に改装し、一階を幼稚園にすることになった。経営者は、シベリア抑留から帰国した姉の夫である。われわれ家族は一緒に二階に住み、私にも個室が与えられた。

幼稚園は「ときわ幼稚園」という名で、当時としては進歩的な教育で有名だったようだ。私も何か行事があると駆り出された。その頃から子供好きだった私は、暇があれば、小さな子供たちと遊んだりした。

合体した猪木家は大家族で、食べ盛りの男が多く、毎日の食事は大量に作らなければならなかった。パンでも何十斤《きん》も用意し、でっかい鍋《なべ》でスープを作る。

私は口答えもしたことのない従順な弟だったけれど、さすがに兄貴たちに腹を立てるときもある。そんなときは、私にしか出来ない嫌がらせをするのである。

馬鹿ばかしい話だが、兄貴たちより早く食卓につき、兄貴たちの分が残らないようにひたすら大食いするのだ。

砲丸を投げるようになって、また一段と身体が大きくなり、中学二年のときは百八十三センチあったのだから、丼《どんぶり》飯が何杯でも入ってしまう。

食い物がないと騒ぐ兄貴たちを見ながら、私は密《ひそ》かに「ざまあみろ」と笑うのであった。

私の兄弟たちは、皆、平均的な体格をしている。私だけが、飛び抜けてでかくなってしまったわけだが、祖父によれば、私の曾《そう》祖父には横綱常陸山《ひたちやま》の血が入っていたのだという。

曾祖父は水の入った風呂桶《ふろおけ》を抱えて歩いたほどの怪力だったらしい。あるとき、暴れ馬をねじ伏せようとして組み合い、馬に蹴《け》られたのが原因で死んでしまった。祖父からその話を聞いたときは、馬に蹴られて死んだというのがおかしくてつい笑ってしまい、「御先祖を馬鹿にするんじゃない」と怒られたのを覚えている。

中学生といえば思春期のまっただ中。

だが、当時の私は性的な知識もまったくなかった。兄弟もそういうことは教えてくれなかったし、自分から積極的に知ろうとも思わなかった。今の中学生とは比較にならないぐらい幼かったのだ。

私も人並みに、ちょっと綺麗《きれい》な英語の先生に憧《あこが》れたり、同級生の女の子にほのかな想《おも》いを抱いたりしたこともあった。しかし、好きな子を遠くから見つめるだけの、淡い片思いだった。告白するような勇気も、自信もなかった。

何度も書くが、私は自分が何の取り柄もない、目立たない生徒だと思っていたのである。客観的に見れば、馬鹿《ばか》でかいし、妙な格好で通学してるし、上級生を投げ飛ばして謹慎になるし、毎日狂ったように砲丸を投げているし、どこから見ても普通じゃないと言われるかもしれない。しかし、砲丸で目覚めた後も、家に帰れば「ドンカン」と呼ばれ、まだまだ自分に自信の持てない気弱な少年だったのだ。

その頃は、家の経済状態がよくないことは何となくわかっていたが、子供の私は呑気《のんき》なものだった。真剣に将来のことを考えるわけでもなく、毎日砲丸を投げて、腹一杯食べて寝るという日々だ。

そのうち、でっかい中学生がいるということが鶴見でも評判になって、相撲のスカウトが来た。

私は直接会ったことはなかったが、鳴戸という親方が家に日参し、祖父を説得していたようだった。当時、男の子なら誰でもそうだったように、私も相撲は好きで、大内山や若乃花、栃錦《とちにしき》などのファンだった。しかし、自分が相撲取りになるというのはまた別な話で、どちらかと言えばプロレスの方に魅力を感じていた。

その頃は、既にプロレスのテレビ中継が始まっていて、大人気だった。家にはテレビはなかったが、私はいつも見ていたのだ。

というのも、たまたま隣の家に住んでいたのが、テレビ技師の一家だったのである。その家には、技師が自分で組立てた自家製テレビがあったのだ。近所のよしみで、プロレスがあると見せてくれる。みんな街頭テレビで背伸びして見ていた時代に、私たちは屋敷の中で座ってプロレスが観戦できたのである。

祖父も私も、プロレスに興奮し、夢中になった。当時は力道山の相手はシャープ兄弟。力道山は英雄だった。でかくて卑怯《ひきょう》な外人レスラーたちをぶちのめす空手チョップは、敗戦国のコンプレックスを吹き飛ばしてくれる神風のようなものだった。

勿論《もちろん》、そのときは自分がやがて力道山を師と仰ぐことになるなんて思ってもいない。ブラウン管の中の力道山は、鶴見の中学生にとっては遥《はる》かに遠い、神様のような存在だったのだから。

当時『ファイト』というプロレス雑誌があった。今も覚えている表紙は、アントニオ・ロッカがドン・レオ・ジョナサンの顔を蹴っている写真。そんな雑誌を読んで、いつかアメリカに渡って、ルー・テーズというチャンピオンに入門してみたい、などと想像したこともあった。

でもそれも単なる少年の夢物語であって、リアルに考えていたわけではない。私は砲丸に夢中だったし、まだ中学生だ。自分の将来なんてまだまだ遠い話に思えた。

ところが、中学卒業を待たずして、私の運命は大きく変わることになる。

猪木家はブラジルに移民することになったのだ。

2　ブラジル移住へ　祖父の死

ブラジルの農園で著者（向かって右端）と兄・快守（左端）

なぜブラジルに行くことになったのか、そのあたりの詳しい事情は、中学生だった私にはよくわからなかった。石炭の需要が低下し、家業は傾いていたが、働き手は多かったし、食うに困るということもなかったと思う。

ある日、拓殖大を卒業した兄の寿一が、ブラジル移民のパンフレットを持って帰って来た。寿一は拓殖大学の貿易学科出身で、昔から海外雄飛の夢を持っていた。まだ海外に自由に行けなかった時代だ。

そのパンフレットには、当然だが、いいことしか書いてない。パンフレットの中のブラジルの景色は素晴らしく、広大な牧場の写真を見ているとまるで楽園のように思えた。

兄貴たちは真剣に移民のことを話し合っているようだった。祖父の影響なのか、兄貴たちも血気盛んなロマンチストで、狭い日本を捨て新天地で一旗揚げる、といった話には心が動くのだ。

私にとっては、ブラジルと言えばアマゾンである。というのも、その頃、私は兄が買ってくる冒険読物が好きで、よく読んでいたのだ。私の読書体験は、その手の本からはじまっている。

『世界の七不思議』や『緑の魔境』『セントエルモの火』。読むと頭の中でイメージが膨らみ、自分も秘境を探検してみたくなる。アマゾンに行けるのなら、ブラジル移民も悪くない。

勿論《もちろん》、家族は私ほど単純だったわけではない。上の姉たちは結婚していたし、それぞれの事情もあったろう。

何度も話し合い、次第にみんな寿一の熱意に説得されていった。最初は反対していた母もみんなが行くなら、と折れて、われわれは一家をあげてブラジルへ行くことになったのだった。

実は、祖父は私と日本に残って、私を相撲取りにしたいと思っていたようだ。家に日参していた親方は、私を学校に行かせるし、祖父の面倒も見ると約束したらしい。もし私が相撲界に進んでいたら、祖父もあんなことで死ななくてすんだろうが……。

私が相撲を断ったのは、兄貴たちの一言が原因だった。

――寛至、相撲取りってのは、別名、男芸者と言って、みんなの前で旦那《だんな》の肩を揉《も》まされたりするんだぞ。

それを聞いた単純な私は、「そんなの厭《いや》だ。絶対に相撲には行かない」と決意したのだ。

それで、祖父も一緒にブラジルへ行くことになったのだった。

今はどうか知らないが、当時は「移民」という言葉には陰惨なイメージがあった。日本で食い詰めた者が仕方なく出稼ぎに行くというような。まして祖父はそのとき七十七歳である。親戚《しんせき》が毎日家に来て猛反対していたが、祖父の決意は固かった。

移民というのは、地方の農業従事者が海外へ出ていくケースがほとんどである。ところがそのときだけは、農業経験のない、都会の住民を対象にした募集があった。私たちはそれに応募したのだ。最初で、恐らく最後のテスト・ケースだったのではないか。

地球の裏側に何が待ち受けているかも知らず、私たちは慌《あわ》ただしく準備に入った。土地も整理し、次男の康郎が残って幼稚園や事業を継ぐことになった。

学校で、私がブラジルへ行くと言うと、先生も友だちも当然驚いた。いろいろ質問されても、私だってブラジルがどんなところなのか知らない。それでも何となく得意な気分だった。

私は中学二年の修了証書を貰《もら》い、寺尾中学に別れを告げた。私の学歴は結局、ここで終わっている。

私たちは住み慣れた家を引き払い、横浜の移民研修センターで一週間寝泊まりして、研修を受けた。そこでは簡単なポルトガル語を習った。

さすがに兄たちは悲壮な覚悟で猛勉強していたが、私と弟はまだ実感が湧《わ》かず、何だか家族で海外旅行に行くような気分で、アマゾンのジャングルのことを想像したりしていた。

昭和三十二年二月三日。

私たちを乗せた「サントス丸」は、横浜港第三桟橋からブラジルに向けて出航した。猪木家は、アメリカに嫁いだ姉と次男の康郎を除く、総勢十一名である。

あの日の光景だけは、今でもはっきりと覚えている。朝からみぞれが降る、何とも寒々とした天気だった。同級生たちがテープを持って、何人も見送りに来てくれた。

「サントス丸」には約五百名の移民が乗り込んでいた。それぞれいろんな事情で国を離れるのだろう。大人たちは今までの人生をここで断ち切るのだ。故国を捨て、知らない国でゼロからスタートしなければならないのだ。誰もが、希望と不安の狭間《はざま》を揺れながら、船に乗り込んでいたのである。

いよいよ別れが近づき、五色のテープが波止場に舞う。

泣いている人。手を振る人。最後に名前を呼び合う声。

出発を告げる重々しい汽笛とともに、降り続くみぞれの中、「サントス丸」はゆっくりと岸壁を離れていった――。

次第に遠くなる港を見下ろしながら、さすがに私も、もう二度と帰って来れないかもしれないと思った。母や祖父は複雑な気持ちだったと思う。しかし私には、日本を離れる寂しさよりも、未来への希望の方がずっと大きかった。

しばし感傷に浸っていた人たちも、船が揺れ始めると全く余裕がなくなった。こんなに揺れるのか、と思うほどの激しさなのだ。すぐに目眩《めまい》と吐き気が襲ってきて、私は文字通り転げ回って苦しんだ。船酔いには逃げ場がない。

私たちにあてがわれた寝床は、船倉に作られた板敷きの三段ベッド。船倉の隅にリンゴ箱が積んであって、それが発酵《はっこう》して饐《す》えた匂《にお》いが漂う。ちなみに食事のときのデザートはいつも、このリンゴだった。

それでも一週間もたてば、船に慣れてきた。

ブラジルまでは約一ヶ月半の船旅である。移民たちは希望に燃え、互いに夢を語り、励まし合っていた。特技を持っている人が中心になって、いろんな教室が開かれた。

兄の寿一は甲板で空手教室をはじめた。柔道の教室や音楽の教室もあった。私たちも大家族だったが、男だけ十一人兄弟という家族がいて驚いたのを覚えている。上には上があるものだ。

私はこの船の上で十四歳の誕生日を迎えたのだった。

毎日、毎日、果てしない大海原。海と空だけの、何の変化もない景色が続いていく。今、船がどこを走っているのかもわからない。

ある日、空手の練習の後、甲板でボーッと海を眺めていると、何か黒い物が浮いているのが見えた。海亀《うみがめ》だ。畳一畳ほどの大きさに見えた。その甲羅に鳥が止まって羽を休めている。私たちの船はその脇《わき》を、すれすれに通過して行った。

飛び魚の群が船の中に飛び込んで来たこともある。時折、イルカの群が船と併走して遊んでは、またどこかに去って行く。大きなアホウ鳥がいつまでも船を追って飛んでいたことも忘れられない。

十四歳の私には、見る物何もかもが珍しく、不思議だった。

そんな日々が続き、やがて――船はロサンゼルス港についた。

だが、移民船だしビザを持っていないので私たちは上陸出来ない。私たちは船の上から、初めての外国を眺めていた。

私はそこで初めて、外国人を見たのだ。何よりも驚いたのは、彼らの体が大きいことだった。波止場人夫たちの腕は丸太のように逞《たくま》しく、身体《からだ》も横幅も私よりずっと大きい。昔で言うと二十五貫、百キロ近くはありそうな男たちがごろごろしている。今考えれば、アメリカ人なのだから大きくて当たり前なのだけれど、鶴見では、私より大きい人に会うことがなかったのである。彼らはポケットに入っていたキャラメルやチョコレートを、私たちに気前よくくれた。

このときに、私はサンキスト・オレンジを初めて食べた。丸々としたオレンジにさっそくかぶりつくと、この世の中にこんなにうまいものがあったのか、とたまげるほどどうまい。いや、あのときの味は本当に忘れがたい。

ロスには二日停泊していたが、そこを離れて「サントス丸」はメキシコ沿岸を南下する。

メキシコのジャングルが見えてくる。日差しも強くなって来て、いよいよブラジルが近づいてきたのだと実感した。

船がパナマ運河に差しかかったときのことである。

パナマ運河については学校で教わっていた。太平洋と大西洋は水位が違うので、三層式の運河を通過させ、水位を調整していく仕掛けである。その運河を航行中、祖父が私たちを呼んだ。長い船旅でさすがに疲れが見えていた祖父だが、そのときは何故《なぜ》か力が漲《みなぎ》っているようだった。

運河の中に入ると、船はエンジンを切って牽引《けんいん》車に引っ張られる。この牽引車が当時は鉄道だった。

祖父の話では、以前、米相場で当てて景気がよかったとき、この鉄道の権利を買わないかという話が持ち込まれたというのである。祖父は結局買わず、権利はあるドイツ人が手に入れた。そしてそのドイツ人は大儲《もう》けしたそうだ。

「もし、あのときこの鉄道を買っておれば、俺は世界一の金持ちになっていたんだ」

祖父の説明に、私は感心するとともに、運命の不思議を感じた。今は移民としてここを通過している祖父が、もしかしたらこの鉄道の持ち主になっていたかもしれないとは。ひょっとしたらこのパナマ運河を一目見るために、祖父はブラジル行きを決意したのではないか……。

船はパナマ運河を抜け、クリストバルという港に寄港した。上陸が許されたので、私はすぐ上の兄と下船した。青いバナナが山のように売られていて、何と、百本以上ついている房がたった一ドルなのである。当時、日本ではバナナなんて貴重品で、一本数百円したのだから、これは安い。興奮して買い込んだ。私は兄とふたりがかりで重い房を担《かつ》いで船に戻った。

食べてみるとまだ渋い。祖父も手を出して、青いバナナを平気で食べてしまった。青物が好きな祖父は、船の生活で新鮮な野菜類に飢えていたのだろう。

ところがこれがいけなかった。実はバナナは青いうちは大変に毒性が強いのである。

船が出発してから、急に祖父が苦しみ出した。船医の診断では腸閉塞《へいそく》ということだった。これが船の中でなければ、薬もあるし手術も出来るのだが、船医にはそんな技術も設備もない。

やはり、老いた身体には長い船旅は堪《こた》えていたのだろう。祖父は三日間苦しんだ末に、帰らぬ人となってしまったのである。

私には信じられなかった。数日前、少年のように目を輝かせ、パナマ運河を見つめていたあの祖父が、こんなにあっけなく死んでしまうとは。

　私は祖父が大好きだった。父親代わりだったし、祖父のすべてを尊敬していた。どれだけ祖父が私を可愛《かわい》がり、励ましてくれたことか。私だけではない。あのとき猪木家が失ったものは大きい。

　私は泣きじゃくった。母も兄も姉も、泣いていた。いつまでも涙は止まらなかった。私が本当の意味で涙を流したのは、あのときが最初だったと思う。

　もし私が相撲取りになると言っていれば、もしクリストバルでバナナを買わなければ……今でも時々私はそう思う。と同時に、ブラジルでのあの苦労を知らないうちに亡《な》くなったことが、祖父にとって幸福だったのかもしれない、とも思うのだが。

　――祖父の葬儀はヴェネズエラ沖を進む船上で行われた。その光景はまるで映画のシーンのように、心に焼き付いている。

　五百人の乗客たちが正装で甲板に並び、祖父のために黙禱《もくとう》を捧げてくれた。祖父の遺体の入った棺は、甲板の最後尾に置かれていた。私たち遺族が最後のお別れをした後、棺には鉛の錘《おもり》が入れられ、厳重に蓋《ふた》がされる。

　日の丸の旗で巻かれた棺は、クレーンでゆっくり吊《つ》り上げられていった。ちょうど夕方近くで、カリブの真っ赤な太陽が、祖父の棺と見送る私たちを照らしていた。

　海に突き出したクレーンから棺が切り離され、棺はまっすぐカリブの海に落下し、白い泡と共に海に沈んでいき、やがて完全に見えなくなった。

そのとき、汽笛が三回鳴った。腹の底に、いや心の底に響くような汽笛だった。

船はそのまま白い航跡を立てて、カリブ海を南へと進んでいく。棺が落ちたところはもう遥《はる》か遠くなのに、航跡の白い泡を見ていると、まるで棺が白い綱で繋《つな》がれて船を追っているように感じて、私はいつまでも海を眺めていた。

カリブの巨大な太陽が西の空を真紅に染め、赤道直下の水平線に沈んでいく。祖父を呑《の》み込んだ海は、何ごともなかったように静かに波立っていた。

もういい加減に部屋に戻りなさい、と母に言われるまで、私は海風になぶられながら甲板に立っていた。

薄暗くなってきた甲板を戻っていくと、船長が私を呼び止めた。

「君のお祖父《じい》さんは海の守り神になったんだ。だから、ここを通るときは、世界中の船が汽笛を鳴らして通るんだよ」

それは慰めの言葉だったのだろう。後でわかったのだが、赤道を横切るとき、どの船も必ず汽笛を鳴らすのだそうだ。棺が落ちたあたりはちょうど赤道だったから、船長の言葉は嘘《うそ》ではない。それよりも「海の守り神」という言葉が、私の心に強い印象を残した。

希望も悲しみも乗せたまま、船はどんどん南へと進んで行く。

人生もまた、何があろうと前に進んで行くしかないのだ。祖父の死を無駄にしないためにも、私たちはブラジルで成功しなければならない。私たちには悲しみに浸っている暇はなかった。

祖父が死んで約一週間、船はついにブラジル領海に入った。

まずリオに寄港し、目的地であるサントス港に到着した。すでに暦は四月になっていた。いよいよ移民生活のスタートである。

荷物を担いだ私たちは手続きを済ませ、移民監督官の指示で列車に乗せられた。これがケーブルカーのような列車で、ガラス窓もドアもない。暗い箱の中に押し込められ、運ばれながら、これからどうなるのか重い不安を感じた。

サンパウロの町で夜汽車に乗り換えた。我々都会からの移民は九家族。皆、同じ農場で働く契約になっている。八百キロの移動である。行けども行けども、同じ様な光景が続く。兄たちも口数が少なくなっていた。しかし、ここまで来たらもう後戻りは出来ない。

やがて列車はリンスという小さな駅に着いた。

今度はトラックの荷台に乗せられ、そこから更に数十キロ奥地へ入る。すぐにジャングルの中のでこぼこ道に入り、トラックは激しく揺れた。荷台に摑《つか》まりながら、ブラジル特有の赤土の道を、私たちは果てしなく進んだ。大人になってから行ってみると、実は大した時間ではないのだが、そのときは本当に長く感じたのだ。

コーヒー園に着いたのは夕暮れ時だった。

どこからどこまでが敷地なのかわからない、広大な農園である。名前はファゼンダ・スイッサ。「スイス人の大農場」という意味だ。経営者はスイス人だった。開拓してから五十年の歴史を持っている農園である。後でわかったのだが、ここはネスカフェに関係のあるコーヒー園だった。

私たちにあてがわれたのは、土間に板張りの家だった。驚いたことに電気も来ていない。当然、水道も何もない。家は結構広かったが、便所もないのだ。これが最初のショックだった。ブラジルは楽園の筈《はず》じゃなかったのか？

ともかく、くたくたに疲れていたので、ランプの灯を頼りに、母が作ったスイトンを食べて、そのままダウンしてしまった。

ファゼンダ・スイッサの中には、あちこちに使用人たちの宿舎がまとまっている部落があった。ひとつの部落で五十世帯ぐらいあったろうか。私たちを含めた、都会移民九家族は、まとまってある部落に落ち着いたのである。

次の日から、希望に燃えた私たちを待っていたのは、苛《か》酷《こく》な奴《ど》隷《れい》労働であった。私は今でも、あの頃の夢にうなされることがある。

着いた翌朝は五時にラッパの音で叩《たた》き起こされた。空はまだ薄暗い。私は畑用の靴を用意していなかったので、裸足でコーヒー畑まで歩いた。朝露で濡《ぬ》れた赤い大地は、ひんやりと冷たかった。

仕事の内容はコーヒー豆の収穫。一年半の契約期間中は何があってもこの農場で働き続けなければならないのである。

マットと呼ばれるジャングルを切り拓《ひら》いて作ったコーヒー畑は、タテ二百メートルヨコ四百メートルの長方形で、道を挟んで（私には無限に続いているように思えた）並んでいた。コーヒーの木を見るのは、勿論《もちろん》、初めてだった。

コーヒーの木は、今はみんな背が低くなっているが、昔は四メートルぐらいある高木だった。梯子《はしご》をかけないと、実をカゴの中にかき落とすことができない。

その上、五十年たった農園だからどの木も老いていて、枯れ枝には少ししか実がついていない。実が沢山ついていれば、一本の木から一俵ぐらいは豆が取れる。だが、ここでは大木から、一摑みのコーヒーしか取れないのだった。

実を落とすためには枝をしごかなければならない。最初は用意していた軍手をはめて、しごいていたのだが、すぐボロボロになるし、軍手に枝が刺さって使い物にならない。

仕方なく軍手を捨てて素手でしごくのだが、これが物凄《すご》く痛いのである。手のひらに棘《とげ》が刺さって、血が噴き出してくる。それでもしごいていると、やがて皮がズルリと剝《む》け、傷口に棘が食い込む。痛みで涙を滲《にじ》ませながら、何とか作業を続ける。

　それを夕方五時まで十二時間。

　やっと家に戻って、手のひらに赤チンを塗り、フェジョアーダという、豚の干し肉と豆を煮た不味《まず》い料理を食べると、ボロ雑巾《ぞうきん》のようにベッドに倒れ込む。

　そしてまた翌朝五時に叩き起こされ、傷が癒《い》える暇もなく同じ労働が続くのだ。

　数日後、夜逃げした家族が撃ち殺されたという話を聞いた。

　私たちは打ちのめされていた。膨らむだけ膨らんでいた希望は、あっという間に弾《はじ》け飛んでしまった。母が毎晩泣いていたのを思い出す。

　私は十四歳になったばかりだ。日本にいればまだ中学三年生である。電気も便所もない生活なんて経験がない。アルバイトしたことすらない。それが大人に混じって、朝から晩まで奴隷労働をさせられたのだ。

　ここには一応、労働者の子弟のための学校があった。施設は農園主が住んでいるエリアの中にあって、通ってもよいと言われた。

　しかし、私たちの家からそこまでが物凄く遠い。一日の労働が終わって、真っ暗な道を延々と歩いて学校へ着く。だが、教室に座った途端に、体力の限界で眠り込んでしまう。何度か通ったが、結局諦《あきら》めざるを得なかった。

やがて――手の皮が厚くなり、象皮のようにひび割れてカチカチに固まった頃、要領が少しずつわかってくる。

一ヶ月後に賃金が支払われた。家族が死にもの狂いで働いて、作業や生活に必要な物を買ったら、ほとんど手元に残らない金額だ。ここから抜け出せないようなシステムになっているのである。

私たち一家は奴隷だった。馬に乗った作業監督は一日三回見回りに来る。彼の腰には、いつもピストルと鞭《むち》が下がっていた。

賃金はコーヒーの収穫量で決まる。だから当然、家族が多い方が有利である。思わぬことに、働き手が多かった私たち一家は、移民たちの嫉妬《しっと》の対象になってしまった。

夢と希望を抱いて来た移民たちが、あまりにも厳しい現実にぶつかったとき、ドロドロした感情が噴き出しはじめたのである。

「せっかくブラジルに来たのに、日本人同士が揉《も》めてどうするんだ。どうせなら日本人の少ないところで働こう」

兄の意見で、私たちはサンジオンという隣の部落へ引っ越した。隣といっても歩いて三十分はかかるところなのだが、私たちはそこで残りの契約期間を働くことになる。

五月が過ぎて雨期に入る頃、コーヒー豆の収穫期は終わり、今度は雑草を刈る作業だ。

これがまたきつい仕事だった。

草刈りにはエンシャーダという道具を使う。これは、二メートルぐらいの棒の先に刃がついている。ちょうど鍬《くわ》の刃を横広にしてスコップのように傾斜をつけた感じの道具。これを使って、土の表面ごと草を削り取るのだ。朝六時から陽が落ちるまで、延々と刈り続ける。賃金は刈った面積で決まったから、私たちは必死に働いた。

ブラジルは昼夜の寒暖の差が凄い。朝は涼しいが、すぐに三十度を超える。スコールが来た後で日が照ってくると、もう蒸し風呂《ぶろ》に入っているようで、息をするのも暑苦しい。

炎天下、エンシャーダを振るっていると、頭がボーッとなってくる。汗がそれこそ滝のように流れ、喉《のど》が渇いてたまらない。

夜は涼しいので、茶色い素焼きの水瓶《がめ》に水を入れて冷やしておき、朝、それを畑に持って行って、木陰に置いて作業する。瓶にはちょうど四リッター入り、普通の人はこれを一日かけて飲むのだが、私は一日に四本飲んだ。十六リッターである。いくら飲んでも、すべて汗になって出て行ってしまう。

その頃着ていたのは、ゴワゴワした砂糖の袋を姉が縫い合わせてくれた自家製のシャツだ。一日の労働を終えて、家に帰ってシャツを脱ぐと、冗談ではなく、シャツが身体の形に立つのである。染《し》み込んだ汗の塩分が固まっているのだ。

丸一日、まったく逃げ場のない労働だった。こういう労働は、体力だけでは持たない。後に私は、このときに培《つちか》った粘り強さを財産にすることになるが、ともかくあまりにも苛酷な日々だった。

労働が終わり、ランプの下で食事をしているとき、母は愚痴をこぼすし、兄貴たちはつまらないことで対立しては口論になる。

右も左もわからない少年だった私や弟は、すべてを受け入れ順応するしかなかった。世の中を知っていた母や兄貴たちの方が、ずっと苦しかったろう。特に旗を振って家族をここまで連れてきた張本人の寿一が、一番辛《つら》かったと思う。

次第に寿一はノイローゼのようになってしまい、ある日、行方不明になってしまったのである。

捜す手だてはないし、それでも仕事をしなければならない。数日後、私たちが草刈りをしていると、赤茶けて波打つ道の彼方《かなた》から、真っ黒いドスキンの背広を着た寿一が、ふらふらと歩いて来るのが見えた。

陽炎《かげろう》の中、歩いてくる兄の一張羅の背広は、白い埃《ほこり》を被《かぶ》っていた。それが何とも哀れで、いまだに忘れられない。

寿一はそのとき二十四歳。酒も女も恋しい年頃である。夢と現実との落差にどうしていいかわからなかったのだろう。それでもここに戻ってくるしかない。私たちもまた、寿一にかける言葉もなかった。

厳しい生活にも慣れてくれば、少年の私にとっては見るもの聞くものすべてが珍しい。家と家の間の土地、バストルと呼ばれていたが、ここは家畜を放し飼いにする場所になっていた。

赤土の上を黒豚が走りまわる。初めて見る黒豚の素早さに驚嘆する。見たことのない鳥がうろうろしている。七面鳥である。すぐ近くに川が流れ、アヒルが鳴いていて、馬や牛は草を食《は》んでいる。

親切なイタリア人移民にコーヒーの焙煎《ばいせん》の仕方を教えて貰《もら》った。私たちはコーヒー豆からどうやってコーヒーを作るのかも知らなかったのだ。イタリア人たちは豚の解体や調理法も教えてくれた。ブラジルでは当たり前の料理だが、豚の血が凝固したものを団子にし、油で揚げて食べるなんて、それまでの私には考えられなかった。

作業の休憩時間には、好奇心を押さえきれず、コーヒー畑の向こうに延々と広がる原生林にちょっと入ってみた。生い茂る熱帯植物は、昔読んだ冒険読物の挿し絵のようではないか。ジャングルの中にはオンサと呼ばれる小型の豹《ひょう》が棲息《せいそく》していたし、初めて聞く猿や鳥の鳴き声が神秘的に響いた。ここで三十メートルを超える大蛇を見たという噂《うわさ》もあった。

ファッカ（山刀）を使って蔓《つる》や枝を払いながら、少し奥まで進むと、もう前人未踏の森だ。調子に乗ってどんどん進み、気づいたら道に迷ってしまい、ぞっとしたこともある。

キリスト教の国だから、日曜日は仕事が休みになる。朝はゆっくりと七時まで寝て、コーヒーを飲み、兄弟でグワンベイという近くの町まで出かける。近くといっても二十キロ。昼前には町に着く。

グワンベイは日系移民が多く、雑貨屋や床屋、ビリヤード場兼バーなどがあった。町で必要な物を買った後、ガラナ・ジュースかアイスクリームと、ハムのサンドイッチを食べる。これが最大の楽しみだった。いつか腹いっぱいハムサンドイッチを食べてみたい、というのが、その頃の私の最大の願いだった。

三時頃には町を出て、買った食料や雑貨を担いで、また数時間歩いて農園に戻る。コーヒーの間を縫って歩いているうち、陽が落ちて夜になる。来た当初は真っ暗闇《やみ》にしか思えなかった夜も、目が慣れてくると五十メートルぐらいは見えるようになっていた。

手が届きそうな満天の星の中、よく兄弟で夢を語り合いながら歩いたものだ。

夜にはコーヒーの木の下に、あれは蛍だろうか、頭が光る虫が群をなしていて、そこだけボーッと明るいのが不思議だった。

都会の少年だった私も、原始的な生活をしているうちにすっかり逞《たくま》しくなった。生水を飲んでいるから赤痢《せきり》などによくかかったが、医者もいないし、放っておくと自然に治ってしまう。

日本では想像もつかないこともあった。砂ビシオという虫がいて、人間の皮膚に卵を産みつけるのだ。兄も一度、この虫にやられ、リンパ腺《せん》を腫《は》らして苦しんだことがある。

夜に足の指をチェックすると、爪《つめ》の隙間《すきま》なんかにびっしり卵が産み付けられている。針を焼いて、そこを刺してビュッと卵を出す。慣れればどうってことはない。

でっかいブヨも無数にたかってきて、脚絆《きやはん》の上からでも平気で刺してくる。これが我慢出来ないぐらい痛いのだ。

怪我《けが》はしょっちゅうだった。一度、フェローバという物凄く堅い木を薪《まき》にしようとしていたとき、斧《おの》が弾かれてしまい、左足に深々と食い込んだことがある。ひどく出血したが、そのときも水で洗っただけで、そのままにしていたら自然に治ってしまった。まだ傷跡は残っているが。

後にある医者に、私の自然治癒《ちゆ》力は普通の人の三十倍高いと言われたことがある。そう言われると思い当たる。試合で指の骨を折っても、その翌日には平気でリングに上がって闘ったりしていたのだ。

そういう力が育ったのは、あのブラジルの生活のおかげだと思う。

一年半が経《た》ち、ファゼンダ・スイッサとの契約が終わった。

祖父の知り合いに鐘紡《かねぼう》の専務がいた。その人の弟で、滝谷という成功した農場主を紹介して貰い、私たちはマリリアという町から五十キロほど奥に入った土地を借りることになった。

それを機に姉夫婦は私たちと分かれ、ウラスーザというサンパウロ郊外の野菜作りの農園に行った。

私たちは要するに滝谷さんの小作人として働くわけだが、それまでの奴隷のような賃金労働と比べれば、遥《はる》かにいい条件だ。歩合さえ払えば、収益は自分たちのものになるのだから。やっとのことで希望の光が見えたような気持ちだった。

その三十町歩の土地に、私たちはエスペランサという名をつけた。ポルトガル語で「希望」という意味である。

最初はここで綿を作ることにした。ブラジルの土は酸性土壌で、綿を作るためには大量に肥料を使わなければならない。肥料と馬を借金で買い、隣の日系移民のおじさんに、綿作りの方法を教えて貰った。

ところが、それが大失敗してしまう。そのおじさんが嘘《うそ》を教えたのである。

まず畑を耕した後、綿の種を植えていく。芽が少し出てくると、今度はその表面だけに浅く土が被るように鍬を入れないといけない。更に芽が伸びてくると、今度は鍬を深く入れて土を被せて行く。綿の周りに雑草を生やさないための知恵である。

ところが嘘を教えられ、知識がないから言われた通りにやったために、芽が出たすぐ横に雑草が物凄い勢いで生えてきた。それもカラビッシュというたちの悪い草で、穂の先に棘が出ていて、せっかく綿の花が開いても棘が綿に絡《から》んでしまうのだ。

エスペランサの綿はひどい出来だった。まったく売り物にならない。全滅である。

そのおじさんは旧移民と呼ばれる、戦前に渡って来た人だった。私たちは新移民だ。旧移民は成功者とそうでない者が、残酷なまでに分かれてしまっている。何十年も小作人のまま、苦労していたそのおじさんにしてみれば、私たちのように後から来た連中が成功することは許せなかったのだろう……。

最初の部落でもそうだったが、こういうことは日本人独特なのではないのか。どうして日本人は助け合わないで足の引っ張り合いばかりするのだろう。先にイタリア移民のことを書いたが、むしろ他民族の方が親身になっていろんなことを教えてくれたのだ。

結局その年、他の農地の綿は高く売れた。隣のおじさんも儲《もう》けたようだった。だから皆は続けて綿を作った。だが私たちは、今度は落花生を作ることにした。落花生ならそれほど栽培技術がいらない。旧移民のおじさんは相変わらず親切めかしてアドバイスをして来たが、すべて無視した。

不思議なことがあった。スコールが降ったときのことだ。雷が鳴って遠くから雨雲がこちらに移動して来るのが見える。それが私たちの畑までたっぷり濡《ぬ》らすと、おじさんの畑の手前で戻ってしまうのだ。おじさんの畑だけ雨が降らないのである。

私たちの落花生は順調に育って行った。

ファゼンダ・スイッサの頃に比べれば、生活にも少しは余裕があった。借金の中から鶏《にわとり》や豚を買った。鶏は放し飼いにしていたら、驚くほど増えてくれる。いっぺんに十五、六の卵が孵《かえ》り、庭はヒヨコだらけになった。三ヶ月ぐらいしたら絞めて食べる。それが私たちの蛋白《たんぱく》源になる。

豚は太らせて脂《あぶら》を取った。背中の脂が指一本の幅なら一斗缶一杯の脂が取れる。後の肉は保存法がないので、干し肉にするか、ちょっと火を通してから脂の中に漬けておくのだ。脂漬けの豚肉がまた格別な旨《うま》さだった。

農作業を終えた後、寿一は空手の稽古《けいこ》をしていたし、陸上選手だった四兄の快守は、馬を繋《つな》いでおく空き地で、よく走っていた。私も弟と一緒に、兄から空手を習っていた。

その快守がサンパウロ州のパウリスタ陸上競技大会に出場することになった。私たちは話し合い、三十分だけ早く作業から快守を解放し、その時間にトレーニングをして貰った。私たちが兄のために出来ることはそれぐらいだった。

快守が大会に出かけた後のことだ。

落花生畑の向こうには、一日一回だけバスが通る道がある。エスペランサからもバス停が遠くに見えた。

作業をしていると、バスが走ってきて止まった。快守が降りるのが見えた。こっちに歩いてくる。その瞬間に私にはわかったのだ。ああ、勝ったんだな、と。

快守は五千メートルと一万メートルで優勝したのだった。私たちは誇らしい気持ちでいっぱいになった。そしてそのとき、快守が鞄《かばん》の中から私へのお土産を出してくれたのだ。

それは砲丸だった！

あのときの嬉《うれ》しさはわかってもらえないだろう。砲丸はブラジルに持ってこれなかったし、苛酷な労働でそんな余裕がなかったから、私は諦《あきら》めていたのだ。それでも忘れられず、時折、石の塊を投げたりしていたが。

私は躍《おど》り上がって喜んだ。離ればなれの恋人に再会したような気分だった。持ってみると、やはり本物は違う。忘れかけていた懐《なつ》かしい重みに、全身が喜び打ち震える、そんな感じだった。

矢も楯《たて》もたまらず、砂地にざっと円を描き、砲丸を構えて一投する。

あれ？　何だか、物凄く遠くに落ちている。自分の足で計ってみると十四、五メートルも飛んでいるではないか。いくらなんでもおかしい。中学の頃はどんなに頑張っても、

七、八メートルがやっとだったのだから。
もう一回投げてみると……さっきよりも遠くに飛んだのだ。

厳しい労働の日々、どこへ行くのにも数十キロ歩くという原始的な生活が、知らぬ間に私の身体《からだ》を鍛えあげていたのだった。いつの間にか身長も百八十八センチを越していた。

翌日から私はまた砲丸にのめり込んだ。

一日の仕事を終えて戻り、夕暮れに馬の世話をする。後は自分の時間だ。兄貴たちが身体を洗って一日の疲れを癒《いや》している頃、私は汗だくで砲丸を投げていた。

暗くなるとあたりは吸い込まれそうな暗闇だ。ランプを灯《とも》し、それを目標地点に置く。昔は富士山だったが、今度はランプの光。砲丸がそこまで届くようになると、ランプを少しずつ遠くに置いていく。

闇の中に時折、何かの獣の鳴き声が響く。ジャングルに囲まれた、そこはランプの灯りと私だけの世界だった。私は無心で投げた。投げていれば、厭《いや》なことや辛いことを忘れられた。

それからはどんなに仕事がきつくても、私は毎晩砲丸を投げた。投げて、投げて、投げて、疲れ果てて、息がきれるまで投げ続けた。

いくら娯楽がないとはいえ、あまりの熱中ぶりに母が心配したほどの打ち込み方だった。

そのうち円盤と槍《やり》も買って貰い、これも我流で練習しまくった。どうせなら兄のように大きな競技会で優勝してやろうとも思った。

そうこうするうちに落花生の収穫期を迎えた。ぐいと引っ張ったら土の中から丸々とした実がびっしりついた根が出てくる。もう飛び上がるほど嬉しかった。

そして実に幸運なことに、この落花生が大当たりしたのである。

その年は、ブラジル中の落花生が大凶作で、私たちの地区だけが大豊作だったのだ。品不足で値段が跳ね上がり、例年の六倍以上で売れたのである。バイヤーが日参し、乾燥しきっていない落花生まで高値で売れてしまう。

私たちは借金をすべて返済し、大きな金を手にすることができた。

落花生は二期作なので、私たちは続けてまた落花生を植えた。

その頃、マリリアの町で力道山の試合が行われた。ブラジルは日系人が多いので、力道山が遠征して来ていたのだ。

私たちの地主の滝谷さんは地元の有力者だったから、招聘《しようへい》委員の一人になっていた。兄の寿一が、滝谷さんを通じて私を力道山に会わせると請け合った。祖父が私を相撲取りにしたかったように、兄は、私のこの大きな体を生かす道としてプロレスを考えていたのだと思う。

私はとにかく憧《あこが》れの力道山に会えると聞いて、ウキウキしていた。それにひょっとしたらレスラーになれるかもしれない。

皆でトラックに乗って力道山の試合を見に行った。小さな体育館で、照明も薄暗く、力道山の出番は短かったが、相変わらずの迫力で日系人たちは大喝采《かっさい》だった。力道山の人気はブラジルでも凄《すご》かったのである。私は試合よりも、その後に対面することを想像していて、気もそぞろだった。

ところが、話がちゃんと通っていなかったのだろう、会える筈《はず》の力道山には結局会えなかったのだ。帰りのトラックに揺られながら、膨らんだ気持ちのやり場が見つからず、何ともやるせない気分だった。

いよいよ陸上競技のマリリア地区予選に出場する日が来た。

このときは途中の町で古いホテルに泊まったのだが、町のざわめきや走る車の音が物凄く大きく感じられて、なかなか眠れなかったのを覚えている。ブラジルに来て以来、ジャングルを切り拓《ひら》いた土地だけで過ごしていたから、騒音に慣れていなかったのだ。

私は円盤、砲丸、槍の三部門に出場し、円盤が三位、砲丸と槍はファウルに終ってしまった。

ところが幸運にも砲丸投げが推薦ということになり、円盤と砲丸で全ブラジル大会への参加が決まったのである。

全ブラジル陸上競技大会はサンパウロで行われた。私は得意の砲丸ではなく、円盤投げで大会新記録を作り、優勝したのである。それにしてもランプが頼りの我流の練習で、よく優勝できたと思う。

同時に兄の快守も五千メートルと一万メートルで優勝し、私たち兄弟は大きく新聞に取り上げられた。すぐエスペランサに戻ったので結局読んでいないが、「コロニアの英雄」という見出しだったそうだ。そのことで私たちは日系社会ではちょっとした有名人になり、やがて私の運命は大きく変わることになるのだが。

落花生の二度目の収穫の前に、寿一がサンパウロに出ることになった。私たちもいつまでも農業をやっているつもりはなかった。いずれはサンパウロで成功したいと考えていたし、寿一が一足先に行って足場を作ることになったのである。

しかし男一人の労働力が失われるというのは打撃だ。一家のリーダーは快守になり、もうすぐ十七歳になる私も必死で働いた。

砲丸や円盤の練習も続けていた。私はブラジル代表としてオリンピックに出場したいと考えていたのだ。そして金メダルを取って、アメリカに渡ってルー・テーズに弟子入り……なんて甘い夢を抱いていていた。

二度目の落花生も大豊作だった。逆に綿は大凶作で、周りの人たちは打撃を受けた。

自殺者も出る悲惨な状態だった。私たちは地主との契約を更新せず、儲けた金でサンパウロに家を買うことにした。

さすがに、エスペランサを後にするときは感慨無量だった。約三年間の生活は、掛値なしに生きるための闘いだった。終日の肉体労働は少年だった私の肉体も精神も鍛えてくれたと思う。厳しい生活を共に耐えた家族、兄弟間の絆《きずな》も深まった。

立ち去るときに、養鶏をしていた日系移民たちが、私たちへの餞別《せんべつ》として山のように卵をくれた。

当時、農業を捨てて町に出るということは、大変な冒険でもあった。生活の基盤をゼロから作っていかなければならない。家を買ったら金もそんなには残らなかった。サンパウロは大都会だ。高いビルがそびえ立ち、当時は東京より遥《はる》かに進んだ都市だった。それまで新聞もラジオもない生活をしていたし、ポルトガル語もほとんど喋《しゃべ》れなかった私たちは、車や人の多さに圧倒された。着る服だってエスペランサのときのようにはいかない。私は兄と洋服屋に行き、紺の背広を仕立てて貰《もら》った。

ところで餞別に貰った卵だが、あまりにも量が多くて困った。近所付き合いがないから分ける相手もいない。仕方なく明けても暮れても卵料理を食べた。それ以来、私は卵嫌いになってしまった。

やがて快守が陸上関係者のつてで、青果市場の仕事を捜してきた。それで男たちは青果市場で働くことになった。

私は新しい紺の背広を得意になって着て、市電に乗って青果市場に行った。初めてだから駅名を聞き逃して降りそびれてしまい、慌《あわ》てて走る市電から飛び下りた。ところが着地でバランスを崩し、線路の横の石にズボンがひっかかって、見事に破れてしまったのだ。何だかそれがショックで、やたらに哀《かな》しくなったのを覚えている。

青果市場の仕事は、アルファッセというレタスが積んである箱を、トラックから積み下ろしする仕事だった。勤務は夜勤で、夜十一時から朝の八時まで。

箱は一メートル四方で深さ三十センチぐらいの大きなものだった。これは結構重い。普通はそれを三箱ずつ担《かつ》ぐのだが、私は軽々と六箱は担いだ。皆がびっくりするので、ようやく私も「俺は他人より力があるんだな」と気づいた。

怪力の新人がいると評判になり、この市場の力自慢の黒人と力比べをすることになってしまった。当時、私は上背はあったけれど、まだ八十キロもなく、ひょろっとしていた。黒人の方はがっちりと逞《たくま》しい体つき。レタスの箱を何箱持ち上げるかというような、他愛もない競争だ。結局私が十何箱か持ち上げて勝ち、市場一の怪力男と認められたのである。

3　プロレス入門と師・力道山

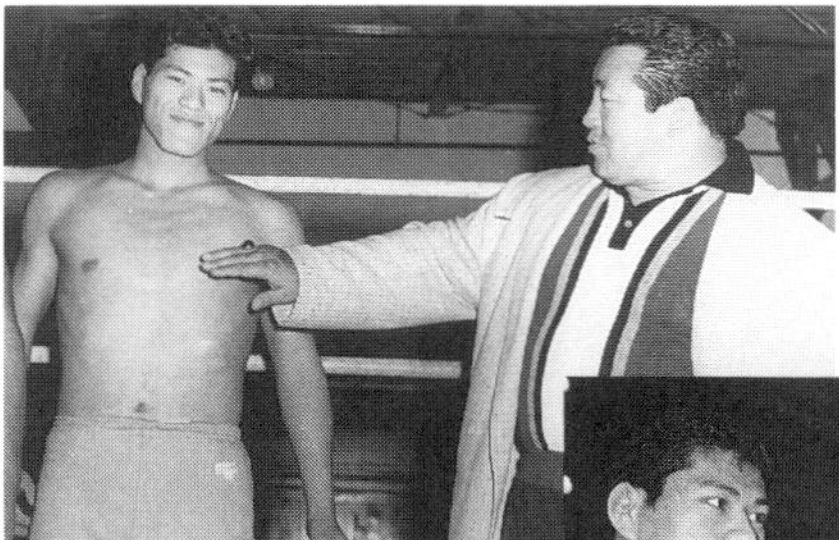

入門時の著者と力道山

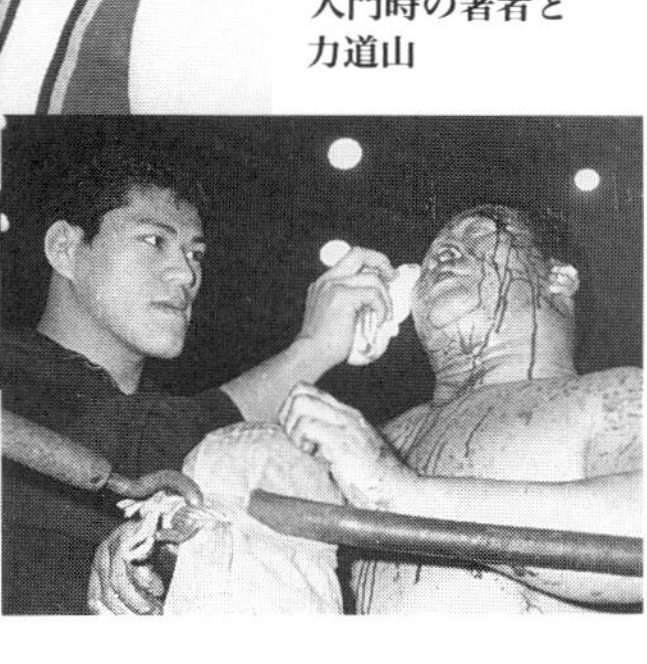

力道山の付き人を務める著者

仕事にも慣れはじめたある夜、青果市場の組合長の児玉という人が私たちのところに来た。

「今、力道山がブラジルに来ていて、円盤投げで優勝した男を捜してるんだが、誰か知らないか」

この男です、と仲間に教えられて組合長も驚いていたが、目の前の私もびっくりである。あの力道山が私を捜していたとは！

その頃、一回目の遠征が大成功だった力道山は、二度目の来伯をしていたのである。こっちは夜働いて昼は寝ている生活なので、新聞も読んでいなかった。

実は私の優勝の記事を書いた新聞記者が、力道山にでっかい日系人がいると言ったらしい。力道山は興味を示し、連れて来てくれと頼んだのだが、そのときはもう私たちはエスペランサを離れていたし、連絡しようがなかったのだ。

まったく運命とは不思議なものだ。もし組合長が気づかなければ、いや、私がたまたま青果市場で働いていなければ、力道山は帰国し、話はそのままになってしまっただろう。

もっと遡《さかのぼ》れば、中学のときに出会った砲丸が、巡りめぐって私を力道山に導いてくれたのだとも言える。砲丸が落ちた先は富士山ではなく力道山だったのだ。

私は朝、仕事を終えると、そのまま力道山の滞在しているホテルに連れていかれた。

初めて会う力道山の印象は、圧倒的だった。百八十ちょっとの身長なのに、ずっと大きく見える。オーラが出ているという感じである。こっちはそんな偉い人の前に出たこともないから、緊張して何を話したかもよく覚えていない。

力道山はにっこり笑って、「裸になれ」と言った。

私は言われるままにシャツを脱いで、ズボンも脱ごうとしたら「下はいいよ」と言う。そして立ちすくんでいる私の上半身をじっと眺めるのである。

「背中を見せなさい」と言われたので、後ろ向きになった。もう私は緊張で震えそうだった。

しばらく見ていた力道山は私の肩を軽く叩《たた》き、「よし、日本に行くぞ」と言った。

こうしてあっという間に、入門が決まったのだった。

力道山は児玉さんに「猪木という男は一世か二世か」と尋ねていたらしい。一世の方が二世よりも精神的に強い、と自分も一世であった力道山は思っていたのだと思う。

ずっと後に力道山のことを書いた本を読んだとき、私のときとまったく同じ場面が出てきて驚いたことがある。

それは朝鮮にいた力道山が十五歳のとき、相撲大会に出ていて、たまたま見に来ていた二所ノ関部屋の後援会長をしていた百田という日本人にスカウトされたときのことだ。百田は力道山に会うなり、「裸になれ。背中を見せろ」と言い、「よし、日本に行くぞ」と告げたというのである……。

ともかく、その翌日から、私は力道山のお供をさせられた。大スターの力道山は、サンパウロで成功した人たちの家に招かれる。私も一緒について回った。田舎しかしらないから、緊張の連続だった。プロレスラーになるというような実感はまだなかった。ともかく運命に押し流されているような感じだった。

私は十七歳になったばかりだったが、精神的には幼かったと思う。大人に混じって働いたとは言っても、いつも家族と一緒だったし、隔離された特殊な社会しか知らなかった。

母は最初、私のプロレス入りに反対していた。せっかく苦労してサンパウロに出てきたのだから、何もプロレスなんて危ないことをしなくても、と言う。だが兄貴たちは、寛至にとってこれはチャンスだ、送り出してやろうと言ってくれた。

一週間もしないうちに慌《あわ》ただしく日本に出発することになった。出発前に、力道山はサンパウロのコンゴニアス空港で記者会見を行った。

詰めかけたファンと新聞記者の前で、力道山は緊張して横に立つ私を指さし、「三年で立派なレスラーに育てます。三年経《た》ったら皆さんの前にお返ししますから」と公約した。

このとき「三年」という言葉が私の胸に刻まれた。

飛行機に乗るのも生まれて初めてだ。プロペラ機が離陸し、夕暮れのサンパウロの町を見下ろしたとき、「ああ、ブラジルともお別れだな」とやっと実感が湧《わ》いてきた。

当時は直行便なんてないから、中南米経由でニューヨークへ。それからロスへ行って、ハワイ、ウェーク島経由で東京への長旅だった。

こうして私は三年間の移民生活を経て、再び日本に戻ったのである。持ち物は着替えの入ったスーツケース一個だった。

昭和三十五年四月十日。私は三年ぶりに日本の土を踏んだ。

羽田空港で飛行機のタラップを降りていくと、何百人ものファンが迎えに来ているのにまず驚いた。中には日の丸を振っている人もいる。力道山がどれほどのスターだったか、今の若い人は想像出来ないだろう。後にも先にも、あんなスターは存在しなかったと思う。

帰国する以前に、すでにブラジルでスカウトされた私のことはニュースで流れていた。

力道山が移動すると新聞記者が慌てて追いかける。ファンの群も後を追う。私にはもう戸惑うことばかりだ。空港で記者会見になると、力道山はブラジル遠征のことや、次のワールドシリーズに呼ぶ外人選手のことなど話していた。私は「ブラジルの日系二世」と紹介された。そういうことにして売り出すつもりだったようだ。本当は違うのだが、神様力道山の言うことなのだから、忠実に守らなければならない。

余談だが、後に親戚《しんせき》たちがニュースを見て「あれは寛至じゃないか」と力道山の家に電話してきたことがある。私は困ってしまった。ここはともかく二世だと言い張らなければならない。

「寛至だろ?」

「……いえ、違います」

「何言ってんだ、寛至じゃないか」

「違います」

「おい、ふざけるな」

親戚には怒られるし、後々まで文句を言われることになってしまった。そのうち私が二世ではないことは何となく知れわたったのだが、力道山が死ぬまでは二世と言うことになっていた。

さて、私は空港から池上にある力道山の家に同行し、そこに住むことになった。つまり内弟子兼付き人である。ガレージの上に倉庫があり、その横の狭い部屋が寝る場所。

最初はもうひとり若い衆がいたのだが、すぐいなくなって私一人になった。

翌日、力道山のベンツのオープンカーに乗せてもらい、人形町の道場に行った。そこには私より大きな人たちがごろごろしていた。中でも一際《ひときわ》大きかったのが背広姿のジャイアント馬場だった。

正式には私の方が一日か二日入門が早いのだが、馬場は、力道山がブラジル遠征に行く前に、入門の話を決めていたらしい。

私は先輩たちに紹介され、すぐに練習が始まった。

それまでの私は体力だけには自信があった。ところが炎天下の重労働で鍛えたその自信も、練習初日でもろくも崩れてしまったのだ。

最初に、インドの名レスラーのダラ・シンから取り入れた屈伸運動、両手を振りながら膝《ひざ》を屈伸するヒンズー・スクワットという運動を五百回やらされた。私は歯を食いしばってついて行ったが、百回もすると膝がガクガクになり、立つのが苦しい。もたもたしていると先輩の竹刀《しない》で叩かれる。何とか五百回終わったら、今度はダンベル・カール五百回……。

翌日は足も腕も痛くて這《は》いずっている有様で、平気でこなしている先輩たちが化け物に思えた。

トレーニングは午前十時頃から、午後一時か二時まで続く。当時の練習はあまり合理的なものではなく、とにかくきつい運動を何百回も続けるという方法だった。どういうわけだか三千回というのが目標になっていた。何でも三千回できれば一人前と認められるのである。

あのブラジルの経験があったから、基礎体力づくりにも何とか耐えられたのだと思う。やがてスクワットも千回、プッシュ・アップ（腕立て伏せ）も千回こなせるようになってくる。そのぐらいやると、床に自分の汗で水たまりができる。

受け身の練習も辛《つら》い。リングの中で先輩たちに囲まれて、次々と毎日百回、マットに叩きつけられる。最初は受け身なんか知らないから、まともに背中から落ちて悶絶《もんぜつ》する。下手に落ちると息が出来なくなる。マットに擦《こす》られた背中の皮もすぐベロリと剝《む》けてしまう。投げる勢いが弱くならないように、先輩たちは交代で投げるのである。

そしてスパーリング。これも最初は技も何も知らないから、先輩たちにいいようにあしらわれる。上に乗られて押さえつけられ、口をふさがれる。息が出来ないから必死で逃げる。そんなことの繰り返しだった。

それが三ヶ月もしないうちに、全然押さえられなくなってきたのだ。体質的に体が柔軟だったことと、労働で鍛えたバネがあってブリッジが強かったから、私は寝技が得意になった。昨日極《き》められた技も、今日は極まらなくなってきて、自分が少しずつ強くなっていくのがわかると、練習も面白くなってくる。その頃は大木金太郎以外の若手には、負けることがなくなってきた。

師匠といっても、力道山は何も教えてくれなかった。私たちのトレーニングを腕組みして見ているだけである。レスリングの技術は当時レフェリーをしていた沖識名《おきしきな》や、後の国際プロレスの社長になるアマレス出身の吉原功が教えてくれた。

練習もきつかったが、付き人の仕事が大変だった。付き人制度というのは日本のプロレス独特のもので、相撲出身だった力道山が相撲界から持ち込んだものだ。

公私にわたって、とにかく力道山の世話をしなければならない。

荷物運びから食事の世話、着替えから、汗拭《ふ》きから風呂《ふろ》での背中流しまで、怒られながらも必死でこなした。ちょっとでも気に入らないとすぐにぶん殴られるから、神経が休まる暇などなかった。

給料は貰《もら》っていない。力道山が時々くれる小遣いが収入のすべてである。だから慢性的に金もないし、試合のないときは池上と人形町を往復するだけの生活だった。

当時の若手には、馬場、大木、マンモス鈴木、ミツ平井などがいた。上田馬之助も少し遅れて入ってきた。私は最年少である。やがて私、馬場、大木、鈴木が若手四天王と呼ばれるようになる。

大木金太郎はまだ韓国から来て日が浅かった。韓国から密入国し、力道山に身元引き受け人になってもらっていたのだ。彼は強かったのだが、先輩たちに苛《いじ》められて苦労していた。力道山も何故《なぜ》か大木には特に辛く当たっていたように感じた。

帰国してまだまもない頃、練習後に大木金太郎に誘われ、道場の下にあった映画館に行ったことがある。

大木は私の手を握ってこう言った。

「私、韓国人、あなた、ブラジル人、仲よくやりましょう」

ジャイアント馬場は当時もう二十二歳。読売ジャイアンツの元投手だったから名前も売れていた。最初からスター候補として、特別扱いを受けていたと思う。当時の馬場は体力もあった。あの体でスクワットを千回こなす人は世界にもいなかったのではないか。

私と馬場は最初からライバル関係だったと言われるが、それは後々のことで、当時一番仲がよかったのは馬場だった。世間知らずで幼い私と違って、馬場は五歳も上だし社会人経験もある大人だ。その当時は好きな人がいて、それでも一緒になれないといった悩みも持っていた。彼がアメリカへ行っている間に誰かが別れさせたのだと思う。

私にとっては頼れる兄貴といった感じの存在だった。互いに貧乏だったし、金を出し合ってラーメンを食べたり、ダブルの背広を貰ったりした記憶がある。背広はブカブカだったが。とにかく、私と馬場は、あの頃はいい関係だった。

これは笑い話だが、ウブだった私は、海千山千の先輩たちにいろんな洗礼を受けた。

ある日、先輩たちが「おい、猪木、センズリ知ってるか」と聞くのだ。何のことかわからず「知りません」と答えると、「この野郎、しらばっくれやがって」と言われ、ボカンと殴られた。そんなことで殴られてはたまらない。

私は本当にその道は奥手で、兄貴たちもそんなこと何ひとつ教えてくれなかったのだ。ブラジルにいたころ、一日の労働が終わると、ドラム缶に沸かした風呂に入る。汗を流して心地よい解放感に浸っていると、どういうわけだかムスコがぐんぐん大きくなってくる。こっちは何の知識もないから、これは異常だと悩みに悩んだ。

「俺は体も大きいから、あそこまで大きくなってしまった……」

ブラジル時代は自分を慰めることも知らないので、もう、ただただやたらに夢精していたのである。だから女の「お」の字も知らない。

初体験は十七歳のとき。日本に帰ってきてからだ。

あれはデビュー前、熊本に地方巡業に行ったとき、大木金太郎に連れられて遊び場に行って、無事童貞を捨てた。大木さんには誠に感謝している。

私のデビュー戦が決まった。入門から五ヶ月半でデビューである。

昭和三十五年九月三十日、場所は東京・台東体育館。私の対戦相手は大木金太郎だった。大木は練習熱心で若手の中では一番強いレスラーだった。すでに中堅選手よりも強かったのではないか。

私は猪木寛至の本名で、初めてリングアナウンサーにコールされた。試合はもう夢中で、何も覚えていない。練習と試合はまるで違うとわかった。それに大木金太郎はさすがに強かった。頭突きのラッシュを浴びて意識が遠くなり、カニ挟みからの逆腕固めで負けたと記憶している。

ジャイアント馬場も同じ日にデビューしたのである。相手は桂浜（田中米太郎）という、相撲時代から力道山の付き人だった人で、馬場は快勝した。

失礼ながら桂浜はレスラーとしての出世は諦《あきら》めていた人で、道場で一番弱かった。誰がやっても勝てる相手だ。無論、私がやっても勝っていただろう。

つまりは馬場を売り出そうとするためのマッチ・メークであり、馬場はすでに明日のスターを約束されているのだということが、私にも何となくわかった。

道場で毎日練習しているのだから、お互いの実力は皆知っている。練習量や実力とは別なところで、出世が決まってしまうという不信感が、私の心に残ってしまった。

それからの私は、他の若手たちのトレーニングを意識するようになった。大木金太郎がバーベルを持ち上げた後、密《ひそ》かに持ち上げてみる。そして、それに数キロプラスして持ち上げる。ジャイアント馬場がスクワットを一時間やればそれ以上長くスクワットをする、というように。

力道山はそれからすぐに、落成したばかりの赤坂のリキアパートに引っ越し、私は同じ敷地内の合宿所に入ることになった。大木金太郎と同室だった。内弟子ではなくなったが、毎日、地味な稽古《けいこ》と付き人生活の繰り返しである。気づいたら、ああ、また今日も終わりか、という感じ。

その頃の日本プロレスは、年間百二、三十試合だった。私たち若手もデビュー後は、二日試合して一日休みといったローテーションで試合が組まれていった。

昭和三十六年、プロレス界最大のイベントであるワールド・リーグ戦に、カール・ゴッチ（当時はカール・クラウザー）が参加した。

初来日のゴッチは恐ろしく強かった。力も強くスピードもあり、関節技のテクニックは世界一だったのではないか。私は時間を見つけてはゴッチの試合を覗《のぞ》き見、深く感銘を受けた。特に原爆固め、ジャーマン・スープレックス・ホールドという、相手の腰を抱えたまま投げてブリッジでフォールする技を初めて見て、鳥肌が立った。

それからは、力道山の付き人の仕事の合間に、外人側の控室に走って行き、ゴッチの指導を受けた。日本プロレスのやり方とはまるで違って、身体《からだ》の各部を鍛え、しかも筋肉の柔軟性を失わないように計算されている合理的なトレーニング法だ。私はゴッチに心酔し、自分もゴッチのように強くなりたい、と願った。

当時の若手の最大の目標は、アメリカ遠征だった。アメリカで活躍し、帰国してスターになるというのが、プロレスラーのエリート・コースだったのだ。私もアメリカへ行かせてもらうことを夢見て、毎日必死で練習していた。

その年の七月に、ジャイアント馬場とマンモス鈴木の渡米が決まった。巡業中だったので、私が旅館で力道山の着替えを手伝っているとき、彼らが出発の挨拶《あいさつ》に来たのを覚えている。馬場たちが部屋を去った後も、私は力道山の汗を拭いていた。

その後、前座で試合している私の耳にも、アメリカでの馬場の活躍が聞こえてくる。馬場は〝東洋の巨人〟としてアメリカで人気を得ていた。正直、焦《あせ》りはあった。しかし私も若く、次のチャンスを待つ余裕もあったのだ。それよりも体重がなかなか増えないことが、悩みの種だった。

これは少し後になるが、マンモス鈴木だけが突然帰ってきた。マンモスもアメリカで活躍していたのだが、最後はいろいろトラブルを起こしたようだ。しかし名目上は凱旋《がいせん》帰国である。

福山で私とマンモスの試合が組まれた。マンモスにとっては凱旋試合だ。しかしリングに上がった私には別な思いがあった。姉の京《みやこ》の結婚相手が福山の出身で、その縁で私は初めて大きな花束を貰ったのである。それが私には誇らしくて、絶対に今日の試合には負けられない。

互いの意地がぶつかり合い、結局引き分けになってしまった。その途端、力道山が棒を持ってリングに駆け込んで来た。頭から湯気が出るほど怒っていて、恐ろしい形相で私たちを睨《にら》みつけ、レフェリーに「あと十分延長しろ！」と怒鳴った。

それで延長戦になった。マンモスもここで勝たないと力道山の雷が落ちるから、物凄《ものすご》い力で殴ってくる。こっちも意地で殴り返す。プロレスというよりぶん殴り合いである。殴るのはマンモスの方が上手だったから、私は何とか懐《ふところ》に入って倒す。こうなるとなかなか勝負は決まらないものだ。

惨憺《さんたん》たる試合になって、決着はまたもつかなかった。

腫《は》れあがった顔でリングを降りると、今度は力道山に滅茶苦茶《めちゃくちゃ》に殴られた。力道山としては金をかけてアメリカへ遠征させたマンモスを、これから売り出すために組んだ試合だ。それがいいところを見せられず、喧嘩《けんか》試合になってしまって、しかも勝てなかったのだから腹が立ったのだろう。私にはとんだ災難だった。

力道山という人は、とにかく手が早い。怒った瞬間にもう殴られてしまう。あの太い腕でぶん殴られるのだから、たまったものではない。その上、何故殴られたのか、理由がわからないことも多かった。いや、ほとんどそうだったかもしれない。

私は力道山の付き人を、結局彼が死ぬまで務めていたから、その三年間は一番殴られたと思う。それだけに力道山に対する思いは複雑だ。

子供の頃、私を父親代わりに育ててくれた祖父は、かなりの年だったし、恐《こわ》いという存在ではなかった。だから私の人生では、力道山が唯一《ゆいいつ》、恐い父親的な存在だ。

あの頃、力道山という人は実業家を目指し、様々な事業を拡大していった。政財界に顔が広かった力道山は、いずれ参議院に出馬する計画を持っていた。当時はプロレス黄金時代で、興行は金の生る木だったから、どうしてもヤクザや金銭絡《がら》みのトラブルが多くなる。

広島で暴力団同士の抗争があって、興行を強行すれば殺す、と脅されたこともあった。力道山はよく組関係の人たちを接待した。その客の前で、私たちは一升酒を飲まされるのだ。ラッパ飲みである。そういう乱暴なことをさせるのも、相手を威嚇《いかく》する意味があったと思う。

ポンと投げられた一升瓶の栓を抜き、上を向いてぐるぐる回しながら一気飲みをしなければならない。私たちは必死だ。飲み終わるまでは息継ぎが出来ないのである。

そういうとき力道山はご機嫌で、ごつい灰皿を摑《つか》んで、失敗したらぶん殴るぞと私たちを脅かす。

力道山は酒癖の悪い人だった。外でも家でも飲めばよく暴れた。暴力団と付き合うのは力道山の本意ではなかったろう。ストレスも多かったのだと思う。

札幌で酔っぱらったときなどは、道路の縁に置いてあったでっかい石を持ち上げては、向こうから来る車に思い切り投げつけるのである。必死で止めたが、結局十五台もぶっ壊してしまった。その中にヤクザの車があったから、大変だ。旅館を取り囲まれて、殺すの殺さないの……。

私はよく力道山にマッサージを頼まれた。体も故障だらけで、大分疲れていたのだと思う。普通のマッサージでは効かないのだ。今の私なら、うまく治療してあげられたのだが、その頃はマッサージの仕方もよくわからない。「足を揉《も》め」と言われたらとにかく一生懸命揉むだけ。

ところがなかなか「もういい」と言ってくれない。何も言わないまま、いつの間にか寝てしまうのである。こっちは手を抜くことを知らないから、もう汗だくで二時間でも三時間でも揉み続ける。

あの当時、力道山は私のことをどう見ていたのだろうか。殴りはしたが、可愛《かわい》がっていたことは間違いないと思う。後に私もいろいろな付き人と接することになるが、気に入らなければ三年も付き人をさせはしない。それに私は力道山の恋人や愛人（有名人も多かった）の送り迎えまでしていたのだから、信頼されていたと思う。

手も早かったが、口も悪かった。私はちゃんと名前を呼んで貰ったことなんてほとんどなく、大抵は「アゴ」。「おいアゴ」である。気に入らないと「乞食《こじき》野郎」とか「この移民のガキ、ブラジルへ追っ帰すぞ」と怒鳴られた。

昔は地方へ行くと宿泊先は旅館だ。どこでも力道山を見たさに大勢のファンが詰めかけている。私は、力道山が出かけるときに玄関で靴を履かせなければならない。力道山がまた、当時珍しかった編み上げの靴を履いているのだ。

私は跪《ひざまず》いて、編み上げの靴を構え、力道山の足を支える。うまく一発で入るときもあるが、失敗すると力道山が少しよろけてしまう。そういうとき、靴べらでピシャーンと顔を叩《たた》かれたのである。痛みよりも、屈辱。大勢の人が見ている前で恥をかかされ、涙がぼろぼろこぼれた。私も人の目が気になる年頃だ。あの悔しさだけは忘れられない……。

悪戯《いたずら》も半端《はんぱ》ではなかった。汽車で移動するとき、力道山は一等の座席を四つ確保する。横には誰も座らないから、アタッシェケースを置いて、ゆったりと足を伸ばしてくつろぐのである。その脇《わき》で、私は用心棒として待機していなければならない。疲れているからついウトウトして眠ってしまう。そんなときに火のついた葉巻を腕に押しつけられるのである。ふざけているのだが、こっちは悲鳴をあげてしまう。

それに金にはシビアな人だった。ケチと言ってもいいだろう。私は給料を貰っていないから、力道山が時折くれる小遣いでやりくりしていた。たしか死ぬ前に三千円貰ったのが最後だったと思う。

一度だけ、辞めようと思ったことがある。

あれは大阪で先輩と試合したときのことだ。ベテランになると、怪我《けが》もしたくないし、なるべく楽に試合をすませたい人もいる。そのときは何となくこちらも先輩に合わせてしまったのだと思う。それで終わって、リングを下りたら、試合を見ていた力道山に徹底的に殴られた。それこそ半殺しにされたのだ。

そんな先輩なんかバンバンぶっ飛ばして、早くスターの階段を上って来いという意味だったのかもしれない。だが、こちらは何もわからないから、もう厭《いや》だと思って、付き人の仕事を放り出して旅館に帰ってしまった。何をするあてもなかったが、ここよりはマシだろうと思った。

その頃、私はよく豊登《とよのぼり》に可愛がって貰っていた。私が辞めるかもしれないと聞いて、豊登から電話がかかってきた。焼き肉屋に連れていかれ「気持ちはわかるが、ここは我慢しろよ」と説得された。「腹いっぱい食えや」と言われて、二人で二十五人前ぐらい食べたのを覚えている。

その翌日、試合会場で力道山と顔を合わせたときは、当然殴られる覚悟は出来ていた。こっちは悲愴《ひそう》な覚悟である。もし、もう一発殴られたら、絶対に辞めてやる。

ところが、力道山はあの素晴らしい笑顔で、にっこり笑って何も言わなかったのだ。それで私は元のように付き人の仕事に戻った。とはいっても、それで殴られるのが減ったわけではない。

力道山はゴルフが好きで、私もよくゴルフ場にお供した。「ゴルフは紳士のスポーツだ」と言われ、一張羅の背広を着てついて行く。昔のゴルフ場は綺麗《きれい》に整備されていなくて、藪《やぶ》だらけ。力道山がOBを出すと、藪の中を這《は》い回ってボールを捜さなければならない。当時はボールも高かったのだ。やっとボールが見つかったときは、私の一張羅はもうボロボロである。

力道山は普段もゴルフの練習用に、柄の先に鉛の玉がついているクラブを持ち歩いていた。綺麗に振れるとカチーンと音がする。ある夜、酔っぱらった力道山が「おいアゴ、ちょっと来い」と言うので、近づくと、そのクラブで思い切り頭を殴られた。目から星が散って、カチーンといい音がした。私は何も悪いことはしていなかったと思う。あのときは、熱が下がらずに一週間ぐらい寝込んでしまった。

やはりどこかで理由もなく殴られたとき、殺意を覚えたこともあった。そのとき、たまたま目の前に料理包丁があったのだ。一瞬、頭の中に「刺してやろうか」という気持ちがよぎった。だが勿論《もちろん》、刺さなかった。相手は師匠だし、私にはそんな度胸はない。

そんな目に合わされ続けても結局、私は辞めなかったのである。私があまりにも世間知らずだったから続いたのではないか。それに私には、どこか運命の成り行きに任せてしまうところがある。

それでも私は力道山を尊敬していたし、とにかくあの人には魅力があった。割と丸っこい体を独特のファッションで包み、にこっと笑ったときの輝きといったら……。力道山はスターの中のスターなのだから。

プロレスという一風変わった世界にはいたが、私も青春時代だ。いろんな思い出がある。

福岡に巡業に行ったときのことだ。私は先輩に誘われて中洲に女遊びに行った。金を払い、ベッドに寝て女を待っていると、いつまで待っても女が来ない。あんまり時間が経《た》ったので先輩の様子を見に行くと、先輩もひとりでベッドにじっと寝ているではないか。何のことはない、女に騙《だま》されて金だけ取られたわけだ。

その話が力道山に伝わって、「お前ら女買ったのか」と聞かれた。嘘《うそ》は言えないから「はい」と答えると、「女に金を最初に渡す馬鹿《ばか》がいるか」と笑われた。

沖縄に行ったときに、地元のヤクザに接待された。女の子が大勢いたのだが、その中に抜群に綺麗な子がいた。同じぐらいの年だったので気があって、店から連れ出し、ふたりで海岸を散歩した。温かい風が吹いてきて、何となくいいムードになった。ステーキを食べて、ホテルに泊まって十ドルかからなかったと思う。

ところが実はその子は、力道山のために呼ばれた女だったのだ。南国の恋を気取っていた私だったが、後でそれを知って真っ青になった。結局何とかごまかして、難を逃れたのだが。

リキパレスにも思い出がある。着工はしたものの、オープンが迫っても工期が遅れて間に合わない。それで私たちは駆り出され、工事の手伝いをさせられていた。早朝から夜中までの突貫工事だ。その上、夜には順番で留守番をさせられる。

ところが、このリキパレスの隣が連れ込みホテルだったのである。夏のことで、当時は冷房もないから、皆窓を開け放してお楽しみの最中だ。

こっちからは向こうの光景が丸見え。それで皆が留守番に行きたがる。私も留守番で覗いているうちに、すっかり興奮してしまい、もう我慢出来なくて渋谷の町に女を買いに走った。で、朝帰りをしたところを運悪く力道山に見つかって、怒鳴られてしまった。あのときは参った。

しかし私はそれほど遊んでいたわけではない。付き人だったから夜はほとんど力道山と一緒に行動していたし、毎晩、力道山の黒いタイツを洗って干すのが結構大変だった。前にも書いたけれど、相当奥手だったことに加えて、当時は女といちゃついていたら強くなれないという風潮があった。修行の身の私には、まず強くなることが一番の目的だったのだ。

強くなれば、他の奴《やつ》も文句を言わなくなる。強くなるにつれ、先輩たちも一目置く存在になってくるのがわかる。練習に打ち込んでいると八時間ぐらい、すぐたってしまう。

砲丸を投げていた頃と同じで、私は一度熱中すると、飯を食うのも忘れてしまうところがある。ランク的にも、私はもう中堅の選手と五分五分というところまできていた。ワールド・リーグ戦にも初出場したし（ブラジル代表ということだった）、外人と当たっても気後れしないだけの自信はあった。

昇り調子の私たちと比べると、力道山は衰えが目立ってきていた。死んだときは三十九歳ということになっているが、かなり年齢もサバを読んでいたから、当時は四十をとっくに越していた頃だ。

これはブラジル行きの前だが、力道山は柔道の木村政彦と闘い、その後木村が週刊誌に暴露記事を書いたことで、プロレス人気は一旦《いったん》下火になったらしい。だがワールド・リーグ戦という起死回生の大ヒットがあって、また盛り返し、以来ずっと景気はよかったのである。

体の衰えを隠したまま、力道山はスターとしてプロレス界に君臨し続けた。だから次のスター、自分の後継者を早く作らなければならないという焦りは、相当深刻だったと思う。これは後に私も経験することになるから、よくわかる。

豊登や遠藤幸吉は自分以上に限界が来ていたから、若手たちに期待するところは大きかったろう。そういった思惑の中で、ジャイアント馬場がスターになって行くのである。

昭和三十八年、私は二十歳になった。

その年の三月にジャイアント馬場が帰国した。これはまさに凱旋《がいせん》帰国だった。ロスまで力道山が迎えに行って一緒に帰国したのだ。馬場はアメリカでトップレスラーに成長し、帰国直前にはロスでザ・デストロイヤーのWWA認定世界へビー級選手権に挑戦していた。もう押しも押されもせぬメーン・エベンターである。一年半ぶりの馬場には風格も出てきて、日本でも大変な人気だった。ぐんと差をつけられた私は、早くアメリカに行かせて欲しいと焦っていた。

馬場、猪木とライバル視されるのはもっと後のことだ。当時の私にはそんな意識はなかった。馬場にもなかっただろう。力道山も馬場をうまくスターのレールに乗せようとして、気を使っていたと思う。私はそれを横目で見ながら、先のチャンスを窺《うかが》っていた。むしろ大木金太郎の焦りは端で見ていても気の毒なほどだった。

その年の五月に五回目のワールド・リーグ戦があり、私も馬場も大木も出場した。マンモス鈴木が脱落していたから、私たちは四天王から三羽烏《がらす》と呼ばれるようになっていた。しかし馬場がダントツで出世頭だったことは間違いない。

この年はキラー・コワルスキー、ジノ・マレラ（ゴリラ・モンスーン）、フレッド・アトキンス、サンダー・ザボー、パット・オコーナーなど、アメリカの一流どころが参加した。

健闘した馬場に対して、私は結局は全敗で最下位になった。だが、外人レスラーたちは私を高く評価してくれたのである。サンダー・ザボーなどは「イノキは若き日のルー・テーズそっくりだ」と誉《ほ》めてくれたらしい。

そして、このリーグ戦の途中、ついに私のアメリカ遠征が決まったのである。やっと私にもチャンスが回って来たのだ。

ところが、札幌の中島体育センターで遠藤幸吉との試合中、私はアクシデントで膝《ひざ》を怪我してしまったのである。それでアメリカ行きはキャンセル。代わりに急遽《きゅうきょ》、大木金太郎の渡米が決まる。大木は喜び勇んで、アメリカへ旅立った。

さすがにこれはこたえた。やっとアメリカに行けると希望を膨らませていたのに、一転、またも付き人生活なのだから。馬場、鈴木、大木と、同輩に先を越されてしまい、いつになったら自分が一人前になるのか先が見えない。ブラジルを出るときの「三年」という期限も次第に迫って来ていた。馬場も再渡米し、ニューヨークのマディソン・スクェア・ガーデンで大活躍していた。大木金太郎はカリフォルニア地区で売り出している。

私は焦った。私の気持ちをわかっていても、力道山はアメリカに行かせてはくれなかった。このときが入門して最初に体験した挫折《ざせつ》だったと思う。

その年の暮れの十二月八日、力道山が赤坂のナイトクラブ「ニュー・ラテンクォーター」で暴漢に刺され、一週間後に死ぬという大事件が起きる。

何度も書くが、私にとって力道山は最初は神様だった。少年時代からの憧《あこが》れの英雄だ。だが世間知らずの私が成長するにつれ、反抗期が芽生え、次第に神様が人間になっていくのである。

その時期に力道山が死んだのだ。だからその後の何十年か、力道山についていろいろ質問されても、複雑な気持ちで、素直に語れない時代があった。

一つだけ、救われたことがある。

力道山が刺された前日に、私は浜松で上田馬之助と試合し、帰京した。

浜松がシリーズ最終戦だったので、翌日の八日は休みになった。私は一人で力道山のマンションの下にある合宿所にいた。皆は家族や恋人のところに行ってしまって、誰もいない。そこに力道山から電話が入った。

「誰もいないのか」

「私だけです」

「じゃあ上がって来い」

力道山のマンションに上がっていくと、ちょうど相撲の高砂《たかさご》親方（元横綱前田山）ともう一人親方がいて、昼間から酒を飲んでいるところだった。

「飲め」

「いただきます」

当時の最高級酒のジョニ黒をグラスになみなみと注がれ、飲まされる。

「もう一杯」……駆けつけ三杯飲んで、いつものように隅に立って、私は親方連中と話している力道山の姿を見ていた。

後で知ったのだが、力道山は私を相撲取りにする計画を持っていたようだ。一旦相撲取りにし、出世してからまたプロレスラーとして売り出すというような計画だったらしい。

突然、高砂親方が私を指して「うん、こいつはいい顔しているな」と言った。

そのとき、それを聞いた力道山が、何とも嬉《うれ》しそうな、誇らしげな表情を浮かべたのだ。

いつもは殴られ、罵倒《ばとう》されるだけの関係だ。自分をどう見てくれているのか知るすべもない。でもそのときの力道山の表情を見たとき、私は何となく、ああ先生は俺に期待してくれてるんだな……と初めて感じたのだ。

三十五年たった今でも、あのときの力道山の笑顔と、自分の気持ちだけは忘れられない。私はどれだけ惨《むご》い仕打ちに苦しんだか。どれだけ悔し涙を流したか。憎んで憎んで憎んで、ついには殺そうとまで思った師匠が、しかし私を認めてくれていた。そのことが私にははっきり伝わったのだった。

このたった一度の出来事が、私には本当に救いになった。

そして、その晩に力道山は刺されたのである。

その頃、大望山と言っていた先代の若三杉と私は仲がよくて、よく飲み歩いていた。と言っても、払いはほとんど向こうだったが。その夜も銀座の「柳」というオカマ・バーで飲んで、オカマたちを連れて青山のボウリング場でボウリングをしていた。十二時過ぎまでやって、タクシーに乗って赤坂の合宿所へ帰る途中で、山王病院のすぐ横のところが通行止めになっていた。警官が大勢走り回り、何か大変なことがあったようなのだが、事情がわからない。

合宿所へ戻ってから、ようやく、力道山が刺されたと知った。先輩の竹村正明という選手が日本刀を持ち出して敵を討つと騒いでいたのを覚えている。私はあまりのことに狼狽《うろた》え、ただ呆然《ぼうぜん》としていた。

一夜明け、山王病院での手術は成功した。

力道山がもし医者の言うことを聞いていれば、死ななかったのではないか。異常なまでにプライドが高かったから、気に入らないと医者を突き飛ばしたりしたらしい。医者に禁じられていたのに、勝手に水を飲んだのも悪かったのだろう。一時は快方に向かっていた力道山の容態が、悪化し始めた。

最後の日は、暴れると傷が開いてしまうというので、私たちが交代で足をずっと押さえていた。既に腸閉塞《へいそく》を起こしていた力道山の血圧は下がりはじめ、山王病院にはなかった薬をどこかの病院に取りに行っている間に、亡《な》くなってしまったのである。

そのときは私は病室とは別の控室にいたと思う。死んだと聞いたときは、頭が真っ白になった。悲しいというより、絶対に崩れないと信じていた足下の大地が、一気に瓦解《がかい》してしまったような気持ちだった。私をブラジルからプロレスの世界に引き入れた力道山。師匠であり私にとって怖い父親でもあった力道山。その力道山を永遠に失ってしまったのだ。

時代を駆け抜けた戦後最大の英雄の、あまりにもあっけない死だった。

すぐに財産の処分の話がはじまり、これで日本のプロレスも終った、といった記事が出始めた。世間もそう思っているようだった。

私は何故《なぜ》だかそのとき、絶対にプロレスの火は消えない、と確信していた。根拠はないが、あの力道山が作り上げた物が消えてしまうなんてありえないと思ったのである。

力道山が死んだその晩のことだ。

私はうなされ、金縛りにあった。ふと足元を見ると、黒い影がうずくまっている。力道山だった。じっとこっちを見ている。何かを伝えようとしているような、怒っているような……私はぞっとし、飛び起きた。全身、汗びっしょりであった。それ以来、しばしば力道山を夢に見た。夢に出てくる力道山はいつも何か言いたそうで、そして怒っていた。

力道山のレスラーとしての実力はどうだったのか？

死ぬ少し前、練習のときに力道山にしごかれたことがある。スパーリングになったとき、私は簡単にバックを取ってしまい、あれ、先生も衰えているんだな……と感じたことがあった。

しかし喧嘩《けんか》は本当に強かったと断言できる。リング下で見ていて、怒ったときの力道山は、相手を殺してしまうのではないかと心配させるような雰囲気があった。

「影響を受けたプロレスラーは？」と尋ねられれば、私は力道山とカール・ゴッチとルー・テーズの三人の名をあげる。ルー・テーズは理想的な肉体を持った天才。カール・ゴッチは努力を重ねて強さを身につけた男。しかし力道山のプロレスはそれらとは全然違う。喧嘩なのである。

力道山がスターになったのは、人間が持っている怒りという感情、それを空手チョップで表現することにあったと思う。それも中途半端《はんぱ》なものではなく、物凄《すご》い怒りとともに腰から叩《たた》き込んでいく空手チョップだ。

力道山のプロレスとは怨念《おんねん》のプロレスだった。

朝鮮人であるということで差別され、苦労したことが、あの空手チョップを産みだしたのではないか。

相撲を捨ててプロレスへ転向し、恐らく自分でも思ってもみなかった金と名声とを手に入れた。手に入れたものが大きければ大きいほど、自分で自分の過去を消さなければならない。最初から朝鮮人だと胸を張れればいいけれど、当時はそれは言えなかった。虚像が大きくなればなるほど苦しみは深まって行ったのだろう。

あの形相で空手チョップを連続して打ち込んでいく迫力の奥に潜むもの。相撲をやめた力道山は、コンクリの壁に向かって、血を流しながら空手チョップを三千回叩きつけたという。

形だけの空手チョップなら誰でも真似《まね》出来るが、力道山の空手チョップは本当に凄かった。あれは、何かがなければ絶対に出来ない。

プロレスとは強ければいい、勝てばいいというだけのものではない。見に来てくれた観客を感動させて帰さなければ、プロとは言えない。技の攻防の中で何かが表現され、それを観客が受け取る。言うは易《やす》しだが、これほど難しいことはない。

力道山にはそれが出来た。彼の怨念が空手チョップという形で爆発したとき、それを見ていた観客は誰しも心が動いたと思う。観客もまた抑圧された戦後を生きていたのだから。

もし力道山のプロレスの遺伝子があるとすれば、それは明らかにジャイアント馬場ではなく、この私に受け継がれている。ふたりのプロレスを見比べればわかるだろう。力道山を「力さん」と呼び「一回も殴られたことがない」というのが自慢の馬場が受け継いだのは、あの葉巻だけだ。

自分で言うのも何だが、私は怨念を爆発させる、あのファイティング・スピリッツと、プロモーターとしてのセンスを力道山から受け継いだと自負している。

最後の頃の力道山はプロレスにあまり重きを置いていなかったと思う。後継者としてジャイアント馬場や私を育ててはいたが、結局プロレスは自分一代だと思っていたのではないか。

とにかく力道山の人気は想像を絶するほどだったのだ。自分の後を継ぐ者がいたとしても、あれほどの人気は無理だと考えて当たり前だろう。それは完成したリキパレスの大きさを見るとよくわかる。プロレスの殿堂であるリキパレスは、実は千人ちょっとしか入らないのだから。

志半ばで死んだ力道山の怨念や無念はどれほどのものだったか……。それからずっと後に、私は力道山の故郷の北朝鮮で「平和の祭典」を開き、プロレスのリングに立つことになる。そのときに感じたこと、それはまた後で記そう。

力道山を失った株式会社日本プロレスは、しばらく混乱した。

遺族と話し合い、リキ・エンタープライズからプロレスは切り離されることになった。

力道山がいないプロレスは駄目になると予想されたためである。結局この予想は外れ、プロレス以外のビジネスの方が先に傾いてしまうのだが。

日本プロレスは豊登をトップとし、芳《よし》の里、遠藤幸吉、吉村道明の三人の幹部レスラーが支えるという新体制で再出発することになった。新社長は力道山未亡人の百田敬子で、後に豊登が社長も兼ねることとなる。若手を育てて複数のスターを作る方針も決まり、豊登が私にチャンスを与えてくれた。夢にまで見たアメリカ行きが決定したのである。

父親代わりだった祖父も力道山も失い、二十歳になった私は、ようやく自分の足で歩ける、一人前の大人になりかかっていた。

私はアメリカで絶対にチャンピオンになってやる、と意気込んでいた。

4　アメリカ修行と最初の〝結婚〟

アメリカ修行時代の
リングでミスター・モトと

文子とダイアナ夫人

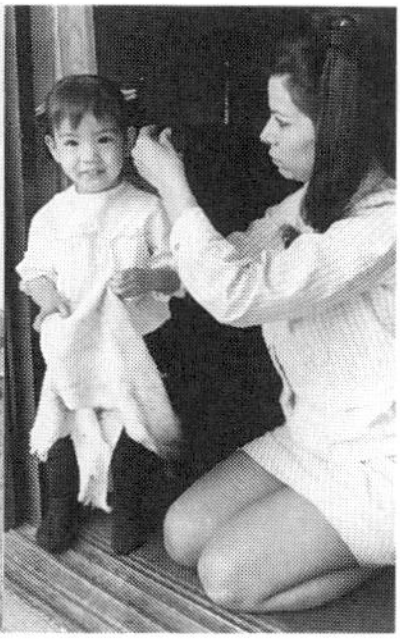

力道山死去から年が明けた昭和三十九年の三月九日。

私は豊登と共にアメリカへ旅立った。飛行機に乗ったのは帰国以来だから、三年ぶりのことだ。

アメリカ遠征といっても、引き受けてくれるプロモーターがいなければ仕事にならない。力道山が死ぬ少し前、サニー・マイヤースという選手が来日し、私が毎日力道山に殴られているのを見て「逃げ出してアメリカに来い、お前なら必ずチャンピオンになれる」と言ってくれた。彼のルートで私のアメリカ遠征が決まったのだ。

私たちはまずハワイのホノルルに入った。これから日本プロレスがどうなるのか、といった不安もあったが、やっとアメリカに行かせてもらえる私は、希望に燃えてウキウキしていた。

私は結局三週間、ハワイに滞在した。というのも、豊登はハワイで試合することになっていたのだが、この人が気まぐれで、ハワイでの巡業なんかする気がない。それで私が代役としてリングに上らされたのである。

元幕内力士の豊登は怪力で鳴らした人気レスラーだった。だが金銭感覚は「超」がつくほどルーズで、博打《ばくち》狂いの問題児。何となく兄の寿一に似ていて、私とはウマが合い、可愛《かわい》がってもらっていた。

余談だが、あるとき力道山と豊登がタッグを組んで試合していた。豊登は先発し、外人と熱戦。ここまではいいのだが、いつまでたっても力道山にタッチしないのである。

「何やってんだ豊！　戻ってこい！」

いくら力道山が怒鳴っても、絶対にタッチしない。

後で聞いたら、リングサイドに借金取りが来ていたという。リングの中が一番安全だったというわけだ。

この豊登が場所も同じハワイで、私の人生を大きく変えてしまうことになるのだが、それはもう少し後の話である。

豊登の代役として、まず地元ハワイのチャンピオンのプリンス・イヤウケアとタイトルマッチ。あの当時のイヤウケアの人気は凄《すご》かった。超満員の会場で大乱闘になり、引き分けになった。

それから何試合かして、今度は小さな島々を巡って転戦する。その間、豊登はどこかで博打をして遊んでいた。

このハワイでの試合のギャラが高かった。最初のタイトルマッチでは四百ドル貰《もら》ったのだ。一ドル三百六十円の時代である。それまでは一巡業、四十試合闘って、一万円とか二万円の小遣いしか貰っていないのだから、もう信じがたい世界だ。しかも滞在費は会社が出してくれていたから、ほとんど全部残ってしまうではないか。

「ハワイでこれならアメリカ本土はもっといいギャラに違いない。この分だとアメリカ遠征で大儲《もう》けだ……」

ホテルでドル札を数えながら、私の夢は膨らむ一方だった。三週間で千五百ドルぐらい残ったのだから、大したものだ。

私はハワイで豊登と別れ、一人、ロサンゼルスへ向かった。

ロスには豊登からの連絡で、日本人レスラーのミスター・モトが待っていた。彼は日本プロレスのアメリカでの窓口をしていて、私のブッキングをしてくれる。ミスター・モトは、自分に任せておけば大丈夫、すべて手配してあるから、と太鼓判を押してくれた。

その夜に、後にいろいろ世話になる日本人街の「若柳」という料理屋で、私と入れ違いに帰国するジャイアント馬場と飯を食った。馬場はデトロイトでルー・テーズ、ニューヨークでブルーノ・サンマルチノの世界タイトルに挑戦したという。馬場はしきりに、力道山が死んだ後の、日本プロレスの動向を知りたがっていた。

翌日、ロスを発《た》って目的地であるカンザス・シティの空港に着いた。私は迎えの人が一目でプロレスラーとわかるように、肩を怒らせてタラップを降りた。

が、いくら待っても誰も声をかけてこない。スーツケースを持って捜し回っても、それらしい人はいない。そのうち空港のロビーには人影がなくなって、私だけになってしまった。

さあ、困った。ミスター・モトはすべて手配していると言うので、私はプロモーターの連絡先も聞いていなかったのだ。電話帳を調べて知っているレスラーを捜したが、見つからない。

英語も喋《しゃべ》れない私は、空港の職員をつかまえて、とにかく知っているプロレスラーの名前を連呼した。ルー・テーズ、パット・オコーナー、サニー・マイヤース……。相手もびっくりしたと思う。

日本では、プロレスは高視聴率番組だったし、スター選手の名前は広く浸透していた。プロレス嫌いの人だって、力道山や豊登、吉村道明といった名前は知っていた筈《はず》だ。ところが本場アメリカでは、パット・オコーナーさえ知られてないらしいのである。

万策尽きたと思ったとき、通りかかった黒人のポーターが私を助けてくれた。運のいいことに彼は（珍しく？）大のプロレス・ファンだったのだ。私が辞書を片手に必死で事情を説明すると、彼は親切な男で、プロモーターのオフィスを捜して電話し、「日本から選手が来ている」と伝えてくれた。

やっと迎えが来て、プロモーターのオフィスも入っている、カンザスシティアン・ホテルという古いホテルにチェック・インしたとき、私は心身共に疲れ果てていた。アメリカ修行の初日からこれでは、先が思いやられる。

荷物を放り出して、ベッドに横になっていると、誰かがノックする。プロモーターかと思ってドアを開けると、若い金髪の女性が立っていた。戸惑う私を押しのけ、彼女は部屋に入ってきた。甘い香水の匂《にお》いが私の鼻をくすぐった。

これが世に聞く下半身接待か、と私は思った。プロモーターが気をきかせて一夜の女をプレゼントしてくれたのだろう。アメリカにもこういう粋《いき》なシステムがあったのだ。ところが、何のことはない、彼女はウインクして「百ドル」と値段を提示したのである。売春婦だったのだ。しかし、いくらなんでも高すぎる。それから値段の交渉がはじまって……後は御想像にお任せいたします。

数時間後、私がベッドで疲れ果てていると、またノックである。今度は本当にプロモーターだった。すぐ試合に行くから支度をしろというのだ。

道具をバッグに詰めると、そのまま車に乗せられ、着いたところは何だかボロボロの汚いテレビ局だった。アメリカではテレビ・マッチといって、オン・エア用にスタジオで試合をすることがある。

局の地下にリングが組んであり、観客が五十人ぐらい集まっていた。何がなんだかわからないまま試合になって、ともかく勝った。対戦相手の名前も顔も覚えていない。

こうして私のアメリカ遠征初日はやっと終わった。

その頃、カンザス・シティには日本人が二家族しかいなかった。対日感情は他の土地よりはよかったと思う。私は約三ヶ月の間、カンザスシティアン・ホテルに滞在して試合をしていた。

ハワイでの思惑は大外れで、ギャラは一試合二十五ドルから三十ドル。しかも夏場はシーズン・オフになって試合が毎日は組まれない。週に三試合のときもある。

あれだけ憧《あこが》れていたアメリカは、日本より遥《はる》かに厳しい世界だった。日本にいたときは、貧乏だったが衣食住は保証されていたし、トレーニングの場所もあり、移動も宿の手配も会社任せ。先輩に言われたことをやっていれば不自由なく生きて行けた。

だがアメリカは違う。ここでは自分の頭で考え、自分の責任で行動しなければ、何も始まらないのだ。

会場まで行くのも自費。あるときはカンザス・シティから船でミズーリ川を渡り、グレイハウンド・バスに乗って五百マイル先の試合場に行って帰ったら、それだけでもう赤字。

あるときは女子プロレスの選手の車に乗せてもらって、八百キロ先の田舎町まで往復し、ガソリン代を払ってハンバーガーを食べたら一銭も残らない。

ギャラの交渉も自分でしなければならない。アメリカでは客の入場料から経費をトップオフし、そこからレスラーごとにパーセンテージでギャラを払う。メーン・エベントが何パーセント、セミファイナルが何パーセントというように、数字を決めて行くのである。だから、客の入りが悪ければギャラは安いし、前座でやっている私は一番安いパーセントだった。

次第に、ハワイで貯《た》め込んだ金も底をついてきた。言葉も通じず友だちもいない外国での生活は、心細いものだ。宿の近くには食肉処理場があり、夕方になって風向きが変わると、私の部屋に血の匂いが漂ってくる。何となく厭《いや》な感じで、日本に帰りたくなる。

試合が終わって帰ってくるともう十一時過ぎ。ホテルに戻ってもすることもなく、人恋しくて夜の街をよく歩いた。別に何もあるわけがない。ただショーウインドウの明りが灯《とも》っているだけ。よくホモと間違えられて、同性愛者の車につけ回された。

あの頃、街中に同じポスターが貼《は》られていた。「ビートルズ」と書いてある。ビートルズがカンザスで公演したのである。そのときの私はビートルズ自体を知らないから、一体何だろうと思った記憶がある。

試合の方は評判がよく、プロモーターも満足してくれたと思う。ランクも少し上がったが、売り上げ自体が悪く、ギャラの金額は変わらなかった。

ずっと後に世界チャンピオンになるハーリー・レイスのデビュー戦の相手もした。私が手加減なしにレイスの喉《のど》を突き上げたら、一発で血を吹いて倒れた。それを見ていたレイスの家族が怒り狂い、私を殺してやると騒ぎ出したらしい。

レスラーにも仲間が出来た。試合のない日曜日に、モンゴリアン・ストンパーが自宅に招待してくれたことがある。

彼の家には見たことのないほど巨大な冷蔵庫があった。それを開けたら、物凄い量の人参《にんじん》がぎっしり入っていた。普通の人参である。

ストンパーはその人参を取り出してはジューサーにかけ、人参ジュースを作る。それを特大のジョッキで御馳走《ごちそう》してくれるのだ。

その気持ちが嬉《うれ》しくて、私はジョッキで六杯飲んだ。

そうしたら——翌日から異変が起きたのである。ムスコが元気になってしまい、三日三晩立ちっぱなしになってしまったのだ。これには困った。試合のときも一向に衰えないのである。試合中にそうなってしまうとどうなるかを想像していただきたい。いやあ、あれには本当に苦労した。

当時の私は食べ盛りだ。レスラーたちの車に乗せてもらって移動しているときも、腹が減って仕方がない。車が停まる度にでっかいホットドッグや、ハンバーガーを買い込んでは食べるので、アメリカ人レスラーがびっくりしていたほどだ。

一度、仲間と中華料理店に行って、片っ端からメニューを平らげ、私だけで百ドル分食べたことがあった。当時の百ドルである。アメリカにもそんなに食う馬鹿《ばか》はいない。

で、それが噂《うわさ》になって、大食いの日本人がいると有名になった。まあ、あまり名誉なことではないが。

それでも試合がないときは時間を持て余し、食肉処理場の匂いがする部屋に籠《こ》もっていると、ホームシックのようになってしまう。

当時、カンザスシティアン・ホテルの隣にはボウリング場があった。ボウリングが好きだった私は、日曜日にときどきそこへ行った。

ある日曜日、ボウリング場で座っていたら、七十過ぎのお爺《じい》さんが声をかけてくれた。老人たちのボウリングのサークルがあって、日曜日毎《ごと》に試合がある。私は仲間に加えてもらい、よく彼らと過ごした。私がレスラーだと知ると、老人たちは尊敬してくれた。

日本から来た若僧を友人として扱ってくれたあの老人たちには、本当に感謝している。私を気に入ったある老人が、私を養子にして家業を継がせようとしたこともあった。

そんな折に見知らぬ男が書類を持ってきた。言葉がよくわからないから、つい言われるままにサインしたら、これが強制送還の書類だったのだ。手違いがあって、私はワーキング・ビザを持たずに、観光ビザで仕事をしていたのである。今考えれば馬鹿な話だ。二十歳にもなって、いかに私が世間知らずであったかが、おわかりいただけるだろう。

その頃、あの約束の「三年」が経過していた。力道山は大した意味もなく「三年」と言ったのだろうが、そのことはずっと私の中ではプレッシャーになっていたのだ。そこで、どうせ強制送還なら、ブラジルへ凱旋《がいせん》してやろうと思いついた。

私はブラジルの家族に連絡をとり、カツ・ネルソンという大プロモーターにコンタクトしてもらった。ネルソンは猪木を呼びたいと言ってくれ、試合を組んでくれた。

私は久々に燃えた。ブラジルに帰れば家族にも会えるし、三年間の修行の成果を見せてやろう。ところが、ちょうどブラジルで軍のクーデターが起きて、その試合がキャンセルになってしまったのだ。

困り果てた私は、とりあえずロスに行ってミスター・モトに相談した。事情を聞いて彼もあきれたが、申請の手順を教えてくれた。それからは移民局に通って書類の手続をする日々が続いた。

その頃、日本プロレスの営業の人が仕事でロスに来た。その人に誘われて日本人街で一緒に飯を食い、それから中国人の博打場に連れていかれた。豆を四つずつ分けて行くシーコーという博打だった。そのときはビギナーズ・ラックというのか、私は五百ドルほど大勝ちした。

それでやめておけばいいのだが、それから私は博打に狂ってしまった。毎日そこに通い、試合のギャラも全部注ぎ込む。そこだけではなく、当時ラスベガスで月一回試合があったのだが、試合の前にはギャラをスってしまっている。それでもやめられなかった。

カンザスではリングネームは「トーキョー・トム」。ロスに来てからはビザがないから本名ではまずいと思って、いろいろな名前を使った。名前はプロモーターが勝手につけるのである。「トーキョー・ジョー」とか「カゼモト」「ナガサキ」「リトル・トーキョー」なんていうのもあった。

ギャラも少し上がり、それなりの稼ぎになってきた。当時、安アパートの家賃が四十ドル。うまくすれば週四百ドルぐらい稼いでいたのだから、悪くない。ところが博打で使い果たしてしまうから、いつも懐《ふところ》は寂しかった。

ようやくワーキング・ビザが取れた私は、オレゴン州ポートランドのプロモーター、ハリー・エリオットと契約した。日本人と結婚していたエリオットは、私を大変可愛がってくれた。

私はここでアメリカの興行の仕組みを学んだ。アメリカでは日本と違い、可能性のある新人をどんどん抜擢《ばってき》する。チャンスを与え、対戦相手に対してアピールさせ、人気を煽《あお》っていく。これは勉強になった。

アメリカに慣れては来たが、やはり私は孤独のままだった。恋人が欲しいと思った。日本にいたとき、ある時期、沖縄出身の女の子と付き合っていた。生年月日が私と同じで背が高くて綺麗《きれい》な子だった。知り合って半年ぐらい付き合っても、なかなか堅い子で、最後の一線を越えさせてくれない。それでも二十歳の誕生日に許すと約束してくれた。ふたりとも二十歳になった夜、私たちは結ばれた。

その頃、力道山はいつも青とあずき色で縁取られたロ－レックスをはめていた。力道山の太い腕にそれが似合って、格好いい。私はそれが欲しかった。弟子は師匠が持っているものに憧れるものだ。だが当時、舶来の時計は高くて到底手が出なかった。

沖縄なら時計が安いから、買えるかもしれない。私は時計のために金を貯め、沖縄巡業を待った。

沖縄へ出発する前の晩、その子とデートをした。ホテルに入ったが何となく別れがたく、気づいたら時間が超過してしまった。恥ずかしい話だが持ち金が足りない。仕方なく知り合いに金を借りてホテル代を払った。

私は沖縄で念願の時計を買った。百二十五ドルだった。残りの金をはたいて、彼女にお土産を買った。

東京に戻って、すぐその子に電話したのだが、連絡が取れない。行ってみたらもういない。私が沖縄に行っている間に、引っ越してしまったのだ。理由もわからない。いくら捜しても見つからず、それっきりになってしまった。

その後は時計を見る度に、彼女のことを思い出していた。あの子は今、どうしているのだろうか。私にとって最初に付き合った女の子だった……。

特殊な世界に生きてはいたが、私だって普通の青年と同じように青春のまっただ中だったのだ。

ポートランドでいつも行くレストランのコーヒーショップに、可愛い女の子がいた。何とかその子と友達になりたい。映画館で切符を買ってきて、彼女に渡し、下手な英語で誘った。「貰った切符なんだ」とつかなくてもいい嘘《うそ》までついて。当時の私にとっては、切符一枚も高価なものだった。でも、結局、彼女は来なくて、何となくそのレストランに行きにくくなった。

ポートランドでもホテル暮らしだった。たまたま同じホテルにパラオの船乗りが泊まっていて、友だちになった。彼の恋人が女の子を紹介してくれた。十七歳のチャーミングな女の子だった。田舎から家出してきたのだと言う。私たちはすぐに仲良くなった。

彼らと連れだってよく遊びに行ったのだが、妙なことがあった。デパートの前を通ると、ここで待っててと言われて、私だけ入り口で待たされるのだ。その後、その子はいつも私に下着なんかをプレゼントしてくれる。

後でわかったのだが、彼女たちは万引き常習犯だったのである。親しくなるともっと驚くことを教えてくれた。実は彼女は結婚しているのだという。十六歳で結婚して乱暴な亭主から逃げて来た、つまり家出娘ではなく家出妻だったのだ。

私は彼女の境遇に同情し、近くの安ホテルに部屋を借りてあげた。どうも私は女の子の前では格好つけてしまう。

試合があるときは一週間ぐらいはポートランドに戻って来ないこともある。彼女がその間、会えなくて寂しいというので、試合で留守にするときはテレビを借りてあげたりした。私は彼女を匿《かくま》っているつもりだった。

ポートランドにも中華街がある。ごみごみした路地を抜けて中華料理店の裏口を開けると、そこは博打場《ばくちば》になっていた。そう、私は性懲《しょうこ》りもなく、また博打にはまっていたのだ。

あれはある土曜の晩。試合を終えると、私はまたもギャラを貰って博打場に直行した。その日も負け続け、最後はスッカラカンになってしまった。しょぼしょぼ雨の降る中、歩くと三十分かかる宿まで戻った。アメリカに来てまでこんなことをしている自分が情けなくて、厭になる。

試合が終わって飯も食ってないのだ。ホテルの部屋で鞄《かばん》をひっくり返すと、五十セント玉が二枚落ちてきた。しめた！　私は牛乳とパンを買って来て、腹を満たした。

でも翌日は日曜日で試合がない。当然、金もない。仕方なく、一日腹を空《す》かせてじっとしていたのである。

試合は結構あったしギャラも上がっていたのだが、博打に注ぎ込んでしまうので、相変わらず私はいつも貧乏だった。本当は女の子の面倒を見る余裕なんてなかったのだ。

彼女を匿っていたある日、私は珍しく大勝ちした。久しぶりに大金を懐にねじ込んで博打場を出て、その子にプレゼントしてあげようと思いながら意気揚々とホテルに戻った。

ホテルに入ると、何だか騒がしい。知らない男たちが私に寄ってきて、何か早口で喋《しゃべ》る。怒っているようだ。しばらく聞いていて、やっと意味がわかった。そのうちの一人が彼女の亭主で、私が女房を奪ったと思っているのだ。彼女の居場所を知らせろ、と言うのである。

知らせないと出るとこへ出るぞとさんざん脅された。法律上はまだ結婚しているのだから、このまま隠し通すわけにもいかない。私は頭の中で計算した。このホテルから彼女のいるホテルまでは、少し距離がある。

私は亭主たちに彼女のホテルを教えた。彼らがロビーを出ると、私はそのまま自分の部屋に駆け上がり、すぐ彼女に電話した。

「今、君の亭主が来た。すぐ逃げろ」

結局、亭主の一行が踏み込んだときは、彼女はホテルの屋根づたいに逃げ出した後だった。そのまま彼女は消えた。あの日はせっかく博打で勝ったのに、彼女にお金を渡してあげられなかった。それが心残りで、悔しかった。

一度、ホテルに電話がかかって来たことがある。逃げた彼女は、その後何か事件を起こしたのか、鑑別所に入れられていて、そこから電話して来たのだ。だが当時の私には簡単な英語しかできず、詳しい話はわからなかった。それっきりもう電話はなかった。

私の最初の妻であるダイアナ・タックと出会ったのはその後だ。最後まで籍を入れなかったが、私たちは事実上の夫婦だった。

クリスマスの晩にあるレストランでパーティが開かれ、私は招待された。そこでダイアナに紹介されたのだった。私と同い年で、一際《ひときわ》目立つ女性だった。スパニッシュ系で髪は黒い美人だ。

こっちが意識しているのに、彼女は他の男たちと親しそうにしている。アメリカの女性は挨拶《あいさつ》代わりにキスしたり、抱き合ったりする。わかっていても、何となく私は気に入らなかった。

ところが、向こうの方も私を意識していたようで、それから付き合いはじめた。むしろダイアナの方が私に惚《ほ》れていたようだ。

ダイアナは積極的な子で、いつのまにか私たちは一緒に暮らすようになった。

そんなある日、ある会場で試合が終わって引き上げるとき、会場の隅にあの子、逃げたあの子がぽつんと立っているのに気づいた。一瞬、目が合った。

鑑別所から出て、すぐに私に会いに来たのだろう。

そうわかっていても、私は彼女と言葉を交わすことが出来なかった。そのまま控室に引き上げ、それっきりになった……。青春時代のほろ苦い思い出である。

ダイアナと暮らし始めて三ヶ月。私はまだ博打に狂っていたが、トレーニングはかかさず、試合も好調で人気も出てきていた。そんなときテキサスのプロモーターから声がかかった。かなりいい条件で心が動いた。

当時、アメリカのプロレスは二週間単位の契約だった。こちらが辞めたければ、二週間前にプロモーターに言えばいい。逆に向こうが馘首《くび》にしたければ、二週間前に申し渡される。

ポートランドでは博打は負けるし、家ではダイアナと喧嘩《けんか》ばかりしていた。ある日、大喧嘩のあげくダイアナは出ていき、私はテキサスに一人で行こうと決意した。でも飛行機代もなくて、出ていくポートランドのプロモーターに借りたのだから、無茶苦茶な話だ。

テキサスへ行ったら、いきなりチャンスが回ってきた。サンアントニオのミュニシパル・オーデトリアムで、テキサス・ヘビー級チャンピオンのジョー・ブランチャードに挑戦することになったのだ。

気の荒いテキサス人たちは激しいファイトを好んだ。タイトルは取れなかったが、私は一気にメーン・エベンターになった。ギャラも跳ね上がり、一試合百三十ドルも貰《もら》えたのだ。サンアントニオからフォートワース、そしてダラスと、私は転戦し、ギャラは二百ドル、二百五十ドルと上がって行った。

そのころから私は「アントニオ猪木」というリングネームを使うようになる。これは豊登が付けた名前で、ワールドリーグ戦に出たときから使っていたのだが、何だかキザで照れ臭く、本名の猪木寛至に戻そうと思っていた。だがアメリカでは「アントニオ猪木」の方が覚えやすいようで、こっちで行くことに決めたのだった。

若い私はパワーがあったし、試合でも怖いもの知らずだった。カール・ゴッチに学んだ関節技では誰にも負けない、という自信が私を支えていた。もし相手が「日本の若僧め」とナメて来たら、関節を極《き》めてやればいいのだ。どの世界のプロもそうだろうが、技術を持っていれば生き残れるし、尊敬される。

当時、私が対戦したレスラーで、関節技を使いこなせる人は、あまりいなかった。使えてもレベルはそれほど高くなく、恐《こわ》いと思ったことは一度もない。関節技に執着し続けたカール・ゴッチという人が、かなり特殊なレスラーだということも、転戦していてよくわかった。

当時はジン・キニスキーがチャンピオンでまだ人気があった。ダラスで、最後に残った二人がメーン・エベントを張るというルールのバトル・ロイヤルがあって、ジン・キニスキーと私が勝ち残ったことがある。

私はジン・キニスキーを食ってやろうと思った。体力には自信がある。「こんなオヤジに負けるか」と気負ってぶつかったら、逆にキニスキーに振り回され、先にこっちの息が上がってしまいへとへとになった。自分がバテて息も絶え絶えになったのは初めての経験だった。

キニスキーにもスタミナがあったのだと思うが、あのときの私は調子に乗りすぎていた。若くて生意気盛りだから、ペース配分も何も知らず、自信過剰になっていたのだ。結局、引き分けたが、いい勉強になった。

仕事もうまくいって余裕が出てくると、ダイアナのことを思い出す。私はまだダイアナに未練があった。悩んだ末に連絡を取って、またやり直そうと話し、ダイアナに金を送った。

彼女はすぐそれで切符を買ってテキサスに飛んできた。そのときダイアナは妊娠していたのだ。私は生まれてくる子供のためにも、稼がなければと気合いを入れ直した。

私たちは、月百二十五ドルのプールつきのアパートに入居した。これまでの環境を考えると、夢のような贅沢《ぜいたく》だった。私と違って、ダイアナは現実的な女性で経済観念もしっかりしていたから、助かった。

初めて車も買った。中古のポンティアックで、デューク・ケオムカという日系レスラーの友人が、安く譲ってくれた。

ところが買ってすぐ、ダラスからサンアントニオの会場へ向かう途中で車がおかしくなって、動かなくなってしまった。そのとき私はトップ・レスラーになっていたから、立場上、絶対に休むことができない。

それで、そこからタクシーを呼び、何百マイルも先の会場までぶっ飛ばして、なんとか間に合った。タクシー代でギャラは消えたが、それよりもプロモーターの信頼を裏切らないことが大切だ。

結局、ポンティアックは使い物にならず、ダイアナの知り合いにエンジンを直してもらって、そのまま下取りに取らせ、一九六五年型の真っ赤なサンダーバードを買った。燃えるような真紅の車だった。前の車で懲りていたから、今度は新車である。

テキサスは居心地もよかったのだが、ヒロ・マツダから話があってテネシーに移ることになった。ヒロ・マツダという人は、日本プロレスを捨て、単身アメリカで地位を築いた選手だ。NWA世界ジュニア・ヘビー級チャンピオンにもなったことがある実力者で、顔も広かった。

テネシーはテキサス以上にプロレス人気が高かった。メンフィス、ナッシュビル、チャタヌガ、キングストン、行く先々、一万人近い会場が全部ソールド・アウトになってしまう。私はヒロ・マツダとタッグを組んで、様々な町をサーキットした。

テネシーという土地は反日感情が強くて、日本人だとアパートも貸してくれないぐらいだ。だから私がどんなに正統派のレスリングをしても、徹底的に野次られてしまう。それならこっちも悪役のジャップに徹してやろうと思った。反則おかまいなしに暴れてやると、面白いように観客がヒートアップする。

それが逆に私たちの人気になる。私には経験がなかったが、悪役としての人気である。私たちが憎まれるほどに観客は増えるのだ。日本でやっていたプロレスとは逆の構造だが、これを体験したことも、私には大変勉強になった。

しかし、あまりに観客がヒートするので、身の危険を感じていた。ピストルを持ち歩く日系レスラーもいた。車は絶対試合会場の近くに停められない。興奮した観衆が滅茶《めちゃ》苦茶《くちゃ》に壊してしまうからだ。

あれは十二月八日、キングス・ポートという小さな町でヒロ・マツダと組んでタイトルマッチを行ったときのことだ。チャンピオンのエディー・グラハムとサム・スティンボートは地元の英雄で、大変な人気だった。

十二月八日は「パールハーバー・デイ」で、テレビは一日中、日本軍の奇襲作戦のフィルムを放送しているという土地柄だった。そのタイミングで日本人が試合をするのだから、チケットが売り切れる超満員になった。

あれは今考えても名勝負だったと思う。私たちも若かったし、全力で闘い、迫力のある試合になった。相手をいたぶるほど観客はヒートアップする。そうなるとますますこっちもエスカレートし、結局、私たちはチャンピオン・チームを血だるまにして勝ったのだ。

勝ったのはいいが、今度はリングを降りようにも降りられない。三千人を超す観客は総立ちになり、私たちを袋叩《だた》きにしてやろうとリングを取り巻いている。そのうち椅子《いす》や空き瓶を手当たり次第に投げ込んで来るから、危なくてしようがない。

警備の警官が静止しようとしても、効き目はなく、暴動寸前の有様になってしまった。このままリングにいたら殺されてしまう。私たちは開き直って暴徒の中にダイブし、襲いかかる連中を殴り倒しながら一気に通路を駆け抜け、控室に飛び込んだ。怒りが収まらない客が扉をガンガン叩く音が響く。やがて扉が破られて暴徒が殴り込んで来たときは、もう駄目かと思った。

警官隊が出動し、何とか騒ぎは収まったが、あのときは本当に恐かった。血が流れているので気づいたのだが、腕と背中をナイフで切られていた。

第二次大戦中、テネシーの部隊は日本軍に全滅にされたという。だから反日感情が強かったのだ。ところがこれがテキサスになると、ヨーロッパ戦線で全滅になりかかったところを、日系二世の部隊が救ったという歴史があり、日本人レスラーを声援してくれたりする。アメリカと言っても場所によってまるで違うのである。

テネシーで女の子が産まれた。私にとって最初の子である。

当時の私は男の子が欲しかった。ダイアナもそれを知っていたから、赤ん坊が女の子だと知ったとき、ひどく落ち込んでしまった。そのことで私は医者に怒られ、反省したのを覚えている。つまりはガキ。幼い父親だった。

生まれてみれば、当たり前のことだが、女の子でも可愛《かわい》い。私は母の名前を貰って、娘に「文子」と名付けた。英名は「デブラ」。

私たちはテネシーからモンタナ州に旅行することにした。モンタナのロッキー山脈の麓《ふもと》に、ダイアナの父親が住んでいたのである。

ダイアナが車を運転し、私が赤ん坊をあやしながらドライブした。私は二十二歳。まだ父親としても夫としても、幼稚な男だったと思う。でも、まだ首も座らない赤ん坊を抱いていると、小さいながらも家族なんだという実感が湧《わ》いてきて、幸福な時間だった。

テネシーからカンザス・シティを通り、高速道路を通ってシャイアン、ネブラスカからモンタナ州への冬の長旅だ。

あのあたりの雪はドライで、風が吹くと落ちた雪が吹き上げられる。いわゆる地吹雪である。車の前方がまったく見えなくなる。早朝、ロッキー山脈の麓を鹿《しか》の群が下りて行く姿、静まり返った夜の風景……。

アメリカに来てからあちこちに行きはしたが、町から町、ホテルと試合会場の往復で、旅らしい旅をしたことがなかった。家族と触れ合い、アメリカの自然の大きさを実感したあの旅は、いい思い出になった。

しかし子供が産まれた頃も、その後も、博打はやめられなかった。稼ぎがよかったから何とかなっていたわけだが、いつも金に不自由していたし、まったく無駄なことをしていたと思う。

今でも遊びで博打をすることはある。勝負勘を磨くことは、男としては悪くないことだと思っている。だが、あの頃のように本腰を入れた博打はスッパリとやめた。博打で負けるからやめたのではない。博打だから勝つときもあれば負けるときもある。問題は、それが精神に及ぼす影響だ。

やめたきっかけは、帰国してから、私が倍賞美津子と付き合いはじめた頃の話である。そのとき、私はレスラー仲間とポーカーをしていた。ジャイアント馬場もいた。私だけが負け込んでいる。金も随分巻き上げられていた。

内心は相当熱くなっているのだが、私は冷静なつもりだった。勝っても負けても冷静な、いっぱしのギャンブラーを気取っていたわけだ。

ふと見上げると、鏡に私の顔が映っていた。それが、鬼のような凄《すさ》まじい形相なのである。ショックだった。

これはいけないと思い、そのときを限りに博打から足を洗った。もっと早くやめていれば、ダイアナにあんな苦労をかけなくて済んだのだが……。

気がつくと、アメリカに来てもう二年の歳月が流れていた。

ブラジルから力道山へと、めまぐるしい運命に従っていただけの私も、アメリカで一人立ちし、少しは成長していた。好きな女も出来た。子供も作った。

全米各地で、ダニー・ホッジ、フリッツ・フォン・エリック、ディック・ザ・ブルーザー、フレッド・ブラッシーといった大物たちと対戦し、プロレスラーとしての自信もついた。タイトルもいくつか手に入れた。

ロサンゼルスの日本人街に行くと、親から仕送りを受けて留学している奴《やつ》や、大企業のドラ息子たちがたむろしている。みんな私と同じぐらいの世代だ。だが彼らと違い、私はもう立派なプロとして活躍していた。あの当時、日本人がアメリカでドルを稼ぐということは、大変なことだったのだから。

日本を離れてから、会社からは何の連絡もなかったし、こちらからも電話しなかった。今の若手と違って、昔は〝修行〟という気持ちがあるから、軽々しく連絡できない雰囲気があった。だから、日本の情報は、日本へ行って来たアメリカ人レスラーから得ているぐらいだった。いつかは帰らなければならないとは思っていたが、私もアメリカで勝ち得たトップの座を守るために、毎日必死だったのである。

モンタナにダイアナと文子を置いて、ヒロ・マツダとロサンゼルスをサーキットしていたとき、日本プロレスの幹部から連絡があった。第八回ワールド・リーグ戦への出場依頼である。同時に、ヒロ・マツダにも来日依頼があった。ヒロ・マツダは交渉して、一試合ごとのギャラを決めた。

ところが日本プロレスが私に提示してきたギャラは週いくら、というものだったのだ。当時、日本では日本人は一試合ごと、外人は週ごとの契約になっていた。つまり私は外人扱いにされたのである。日本プロレスの人間ではないヒロ・マツダが一試合ごとの契約で、何で私が外人扱いになるのか、理解できない。私は不愉快だった。

実はその頃、日本プロレスでは大変なことが起っていたのである。

私は、日本人街の「若柳」のおやじさんから事情を聞いた。豊登が放漫経営の責任で日本プロレスから追放され、「東京プロレス」という団体を旗揚げしようとしているという。そのメンバーには私の名前も入っているというのである。

週給を提示された理由がそれでわかった。私は豊登と仲が良かったから、豊登の団体に行くかもしれないと思われていたのだ。

豊登からの伝言があって「ロスに行くから、とにかく待っていてくれ」とのことだった。

私はロスで豊登が来るのを待っていたのだが、これがまた待てど暮らせど来ないのである。

そのうち日本プロレスの方から、沖識名が来た。馬場たちがハワイでキャンプを張っているから、ハワイまで連れて行く、と言う。豊登も来ないし、私はハワイへ行こうと思った。

沖にいくら事情を聞いても「帰ればわかるよ」と言うだけ。しかもハワイの空港に着いたら、彼はハワイの自宅に帰ってしまったのだ。

私は吉村道明の宿泊しているロイヤル・トロピカーナ・ホテルにチェック・インしたが、吉村に会ってもどこかよそよそしく、話をはぐらかされる。

翌日はビーチでジャイアント馬場に会ったが、「よお」と言うだけで、何も説明してくれない。こっちは何も決めていないのに、何だか私が東京プロレスへ行くことがもう既成事実であるかのような、そんな感じなのである。

私も腹が立ってきてディーン樋口のジムで毎日トレーニングしていた。私は仲間外れにされ、必要とされていないように感じていた。

そして日本に戻る前日、やっと豊登がハワイに現れ、私にコンタクトして来た。私は豊登の宿泊先のパゴダ・ホテルに行き、彼と一晩話し合った。

どう口説かれたかはあまり覚えていない。もう私の腹は決まっていたから、儀式のようなものだった。

私は豊登に恩義を感じていた。前に書いたが、力道山に殴られて辞めようと思ったとき、焼き肉を食いながら思いとどまらせてくれたこともあった。その人が苦境に立たされ、私の力を必要としている。

それと、もう一つはやはりジャイアント馬場の存在である。私がアメリカにいた間、馬場は力道山に続く大スターとして、大活躍をしていた。私だってアメリカ修行でそれなりの成果を出したつもりだったし、昔の俺ではない、という自負もある。

私も若いし、天狗《てんぐ》になっていたのだとは思う。だがそのまま古巣に戻れば、馬場の下で引き立て役をさせられるのは目に見えていた。それなら新天地で勝負してやろう。私は東京プロレスに行きますと約束した。

これが後にスポーツ新聞が「太平洋上猪木略奪事件」なんて大袈裟《おおげさ》に書きたてた事件の顚末《てんまつ》である。

5

東京プロレスへの参加とジャイアント馬場

左から著者、豊登、マサ斎藤

倍賞美津子との結婚式

昭和四十一年五月。私は二年ぶりに日本に戻って来た。こんな形で帰ってくるとは夢にも思っていなかったが。

私は豊登とホテル・ニューオータニに直行した。当時、東京プロレスの事務所がニューオータニの中にあったのだ。新間寿が豊登のマネージャーのような感じで働いていた。この後、私と因縁浅からぬ仲になる新間寿は、以前から日本プロレスに出入りしていた男で、化粧品会社の営業マンだった。

次の日、私は豊登から三十万円渡された。当座の支度金というような名目だったと思う。それはいいのだが、その後、私は大井競馬場に連れて行かれた。豊登の博打《ばくち》に付き合わされたのだ。結局、貰《もら》った三十万も豊登が馬券に注ぎ込んでしまって、あっけなく観覧席の紙屑《くず》と消えた。

私は東京プロレスの社長になることになった。豊登は「俺の時代はもう終わった」と言って、何の役職にもつかなかった。後でわかったことだが、結局、東京プロレスは豊登の借金対策で作られたようなものだった。五千万近い博打の借金はすべて「東京プロレス」に回され、旗揚げ前にもう負債を抱えていたのだ。

豊登の金銭感覚は相変わらずだった。豊登は毎日博打、営業部長の新間は金策に駆けずり回り、私は旗揚げ準備の合間に、東京プロレスに参加した斎藤昌典（マサ斎藤）や木村政雄（ラッシャー木村）らとトレーニング。

帰国してすぐ、私はニューオータニで倍賞美津子に紹介された。美津子はその前から豊登の知り合いで、あのときは豊登の土産を受け取りに来たのだと思う。当時彼女はSKDの若手で、姉の倍賞千恵子は『下町の太陽』でもうスターになっていた。会った瞬間、私は惹《ひ》きつけられた。一目惚《ぼ》れというやつかもしれない。彼女は溌剌《はつらつ》としていて健康的で、とにかくパッと周りを明るくさせる。とはいえ私にはアメリカにダイアナという妻がいたし、それ以上の進展はなかった。

その後、何回か食事に行ったことはあったが、いつも彼女の友人や豊登と一緒だった。若い彼女たちはよく食べよく飲むので、随分金がかかったことを覚えている。

日本プロレスが唯一《ゆいいつ》絶対の団体だった時代に、新団体を旗揚げするのは大変なことだった。各地のプロモーターを説得して回ったが、みんな日本プロレスの興行で飯を食っているわけだから、いい返事を貰えない。日本プロレスからの脅しもあった。テレビとの交渉も難航し、金だけはどんどん出ていく。ついにニューオータニも追い出され、どういうわけだか渋谷の連れ込み宿に事務所を移転した。

四六時中、両隣からは艶《なま》めかしい息づかいが聞こえてくる。こっちは夢中だったから気にもならなかった。私はもう背水の陣なのだ。あのときは寝る暇もなかった……。私はダイアナと娘を日本に呼び寄せていたが、忙しくて家に帰れない日が続いた。

何とか旗揚げに漕《こ》ぎ着けたのがその年の十月十二日のことである。その直前に吉原功の国際プロレス（ヒロ・マツダがエースだった）が設立されていた。

旗揚げの場所は、今はもうない蔵前国技館だ。

国技館だから真ん中に相撲の土俵があって、そこにリングを設営しなければならない。ところが土俵の方がリングよりも広いのだ。しかし土俵を壊すわけにはいかず、無理矢理リングの足を広げて立てた。そうすると下にいくにつれ広がっている奇妙な台形のリングとなり、いくらロープを締めても締まらない。このフニャフニャのロープのリングで、東京プロレスはスタートしたのである。

それでも観客は七千人ぐらい入ったのではないか。倍賞美津子も見に来ていた。

私にとっては十ヶ月ぶりの試合だ。日本のファンにとっては二年ぶりの猪木の試合である。旗揚げの時点でもう傾きかけている団体だったけれど、せめてリングの上では、私を応援してくれる人のためにも、凄《すご》いプロレスを見せたい。しかし——そのためにはそれなりの相手が必要になる。

当時はNWAという大物プロモーター連合がアメリカのプロレス界を支配していて、そこには日本プロレスから手が回っていた。知り合いのレスラーに声をかけても、「悪いが、もし東京プロレスに行ったらアメリカの仕事もなくなるぞ、とプロモーターに脅されている」と言って、断わられる。いくら高額のギャラを払っても、一流選手は呼べそうにもない。

私は単身アメリカに飛んだ。カンザスではサニー・マイヤースが協力してくれることになり、続いてセントルイスへ。そこでプロモーターを何とか口説いて、ジョニー・バレンタインという選手を回して貰う約束を取り付けた。一応、名前は通っていて、日本では「まだ見ぬ強豪」と呼ばれていた選手だ。

セントルイスで初めてバレンタインの試合を見た。ところが、これがまたダラダラしてちっとも面白くもないプロレスをしている。がっかりしたが、他にいないのだから仕方ない。

このバレンタインという選手と私の試合がメーン・エベントだった。

意外なことに、このバレンタインが、セントルイスとは別人のように迫力あるファイトを見せてくれたのである。私は大苦戦した。バレンタインに振り回され、渾身《こんしん》のパンチを喉《のど》に受けて血を吐いた。こっちも手加減なしに殴り、蹴《け》り、攻めた。

フィルムを回していなかったから、あの試合は現場に立ち会った人しか見ていない。今でも「蔵前で見ましたよ」と声をかけられると、ちょっと感激してしまう。「アントニオ猪木のプロレス」が形になったのも、この試合からだろう。

私は相手に合わさず、アメリカのプロレスとはまったく違うシリアスなファイトを仕掛けた。その思いが彼に伝わり、彼は隠していた力を爆発させたのだ。お互いが力をすべて出しきり、四十分ぐらい闘って私が勝ったのだが、自分でも満足出来る内容だったと思う。

熱狂した観客の大歓声。国技館のゆるゆるのリングに、座布団《ざぶとん》が乱舞する。日本のファンにとっての私のイメージは、アメリカに行く前の「中堅選手」のままだったろう。「豊登の新団体」に期待して蔵前に来たプロレス・ファンたちは、私の変貌《へんぼう》に衝撃を受けたのだ。アントニオ猪木が一夜にしてスターになった、記念すべき夜だった。

ちなみに、その後も私の好敵手として激しい試合を続けたジョニー・バレンタインは、交通事故で大怪我《けが》をし、今は車椅子《いす》の生活になってしまっている。

テレビ中継もなく、借金だらけ。知名度のある選手は、帰国したばかりの私とセミ・リタイアといってもいい豊登だけ。こんな悪条件の東京プロレスでも、期待してくれたファンは多かった。当時、あの条件下の動員としては、まずまずだったと思う。しかし、興行を打っても、右から左に金が消えて行くのだ。

すべて豊登の借金の返済である。絶対的な信頼を置いていた豊登に対して、私も冷めた気持ちになっていた。だが一旦《いったん》旗を振って始めた以上は、挫折《ざせつ》するわけにはいかない。

東京・板橋でのことだ。ここで興行を打つことになっていたが、雨が続いたために予定が延期になり、秋の終わりにようやく開催されることになった。

当日、会場に行くとプロモーターが約束していたギャラを払わないという。前払いの金はとっくに渡してあると言うのだ。こっちは聞いてない。客もほとんど入っていなくて、会場はガラガラ。それで揉《も》め始め、私は腹を立てて事務所に帰ってしまった。残りの選手たちも引き上げ、試合は中止だ。

私には、連日の金にまつわるストレスに加え、世話になった先輩である豊登に、正面から物が言えない苛立《いらだ》ちがあった。それにしても大人げないことをしてしまった。

事務所でくさっていると、電話が鳴った。知人からの電話だった。

「大変だぞ、テレビを見ろ」

慌《あわ》ててニュースを見ると、リングが燃えている映像が映っていた。うちのリングだ。これは、さっきまでいた板橋の会場ではないか。

実は私が去った後から客がどんどん増え出し、試合中止と聞いても納得せず、猪木を出せと暴動になってしまったのだった……。

翌日は新聞に大見出しで叩《たた》かれ、当然のことだが私に批判が集中した。その後の、たしか大田区体育館での試合のときに、ファンにお詫《わ》びをした記憶がある。

そんなニュースがいい影響を与える筈《はず》がない。何とか最初のシリーズは終わったが、経営的には赤字が残っただけだった。そのあたりから豊登の借金の取り立てが、事務所や試合会場に来るようになった。その年の暮れに、さすがの私も豊登と絶縁することを決めた。

だが年が明けると、豊登の借金のために振りだした手形が回り回って、暴力団関係の手に渡っていることがわかった。彼らに脅しをかけられた東京プロレスはあっけなく倒産。旗揚げから三ヶ月の命だった。

私は当時の金で、五千万の借金を背負い込むことになってしまった。

考えてみれば、アメリカから帰ったときから、私の人生には金銭トラブルとスキャンダルがついて回っている。すべては東京プロレスからはじまっているのである。東京プロレスは、「猪木プロレス」の原点であると同時に、借金苦の原点でもあったのだ。

勿論《もちろん》、人生が変わってしまったのは、私だけではない。新聞も訴訟を抱え、日光の銅山で働くことになった。豊登が引っ張ってきた若手レスラーたちも、行き場を失ってしまった。

私も困った。借金を返す手だてと言っても、私にはプロレスしかない。今更日本プロレスには戻れないし、これから新団体を興《おこ》す力は残っていない。またアメリカに戻ろうかと考えたが、日本プロレスの圧力が厳しく、アメリカのプロモーターの返事もはかばかしくない。それに行き場のない若い選手たちのこともある。

八方ふさがりの私を救ってくれたのは、スポーツニッポンの社長の宮本氏だった。「君は将来、日本のプロレスを背負って立つ大事な人材なんだから」と、意地を捨てて日本プロレスに戻るよう、説得されたのである。私のプライドを傷つけないように、うまく仲介してくれた宮本さんには感謝している。

結局、私は日本プロレスに戻ることになった。

日本プロレスとしても私が欲しかったのだろう。ジャイアント馬場と私の二枚看板になれば、経営的にも安泰だと思ったのではないか。

日本プロレスは、東京プロレスの若手たちのほとんどを引き取ってくれなかった。ラッシャー木村たちは国際プロレスへ行くことになり、マサ斎藤はアメリカに渡った。何人かは最後まで面倒を見てやれず、申し訳なかったと思っている。その後、豊登も国際プロレスに行った。

昭和四十二年四月。私は古巣の日本プロレスに戻った。完全な出戻りである。

意外に思われるかもしれないが、皆、私を歓迎してくれた。

体の大きな人というのは、どこか大らかなところがあるものだ。これは逆に、厳しさに欠けるということでもあって、自分の意志を貫くよりも、何となく状況に流されてしまうことが多いと思う。自戒を込めて言っているのだが。

ともあれ、私はまた元の鞘《さや》に収まって、日本プロレスのリングに上がることになった。

復帰してすぐに吉村道明と組んでアジア・タッグ、その秋にはジャイアント馬場と組んでインターナショナル・タッグのベルトも獲得した。

いわゆる「馬場・猪木時代」で、テレビの視聴率も高く、日本プロレス最後の黄金時代だった。やはりテレビの力は凄く、私も全国的に人気が出てきた。ちなみにこの年に柔道日本一の坂口征二が入団し、若手のホープとして活躍を始めている。

その頃から私は自分で興行も手がけるようになった。アメリカでもプロモーターに興味があったし、東京プロレスの経験を生かし、鶴見や地方都市で一晩一千万ぐらいの興行を打っていた。

しばらくしてダイアナの提案で、世田谷の上野毛の家を買い取ることにした。

それまでの私は、「物を買うなら現金」と思い込んでいたが、さすがアメリカ人で合理的なダイアナは、ローンを組めばいいという。それで会社と掛け合ってローンを組んだ。当時の金で千二百五十万円ぐらいだったと記憶している。

その家は百五十坪あったのだが、最初に見に行ったとき、思わず「こんな狭いところに住むの?」と声に出してしまった。子供の頃、育った祖父の鶴見の家は六百坪あったし、ブラジルでは借地だけど、見渡す限り自分の土地という感覚だったから、百五十坪の家なんて何だか恥ずかしかったのである。

私は必死で働いて、家のローンを二、三年で払ってしまった。借金の方もかなり減っていた。それだけ稼ぎがよかったのだ。

娘の文子も可愛《かわい》い盛りで、ハーフということもあって近所のおばさんたちのアイドルになっていた。我が家の公用語は英語だった。

だが日本で暮らすうちに、文化の差でぎくしゃくすることが多くなってきた。私は地方巡業で家にほとんど帰らなかったし、たまに家族で外出しても、顔が売れているのでファンが寄ってきてしまう。こっちも人気商売だから、ファンを気遣わねばならない。ダイアナにはそれが理解できない。家族よりもファンを大事にするのは許せない、と怒り出してしまう。

私は、他人に喜んで貰うことが自分の最大の喜びだと信じている。いくら説明してもそこは平行線だった。まあ、私も少しサービス精神がありすぎるのかもしれない。今の女房だって最初は理解できないと言っていたのだから、アメリカ人のダイアナには無理もないことだったろう。

ダイアナと別れるきっかけになったのは、私の東南アジア遠征だった。

東南アジアを転戦し、試合が終わった後は、恥ずかしい話だが、私は幹部たちに誘われて連日夜の街に繰り出していた。そのことをどこからか聞いたダイアナが怒り狂い、子供を連れてアメリカに帰ってしまったのである。

アメリカ人女性の感覚からすれば、許しがたいことだったのだろう。私の不徳のいたすところだ。だが、それだけではなく、慣れない日本での生活も辛《つら》かったのだと思う。

私の方は、あのまま別れることになるとは思っていなかった。軽い別居のように思っていたから、しばらくすれば帰ってくるだろうとタカを括《くく》っていた。

やがてダイアナはハワイの友人のところに落ち着き、ハワイで働きはじめた。何回か仕送りもしたが、結局、ダイアナは戻って来なかった。文子はまだ五つになったばかりだった。

その後、ロスに行くときにハワイで一泊し、別れることを確認し合った。文子は両親が別れるということをまだ理解していないようだった。

「パパは何でお家《うち》に来てくれないの?」

――それが文子との最後の対面になってしまった。

それから三年後、文子は天国に行ってしまったのだ。

モンタナ州にいるダイアナの父親が癌《がん》で危篤《きとく》になり、ダイアナは文子を連れて最後のお別れに行った。その帰り、ポートランドからハワイ行きの飛行機が離陸して間もなく文子が「お腹《なか》が痛い」と言い出した。飛行機はサンフランシスコに緊急着陸したが、その前に文子は死んでしまったのだ。

小児癌だったらしい。知らせを受けて、私は言葉もなかった。自分の仕事に夢中で、父親らしいことは何もしてやれなかった。文子はみんなに可愛がられる、利発な子だった。

いくら悔いても、もう取り返しがつかない。私は鶴見の父の墓に文子の名前を刻んだ。今でも幼い女の子を見ると、ハワイの空港に迎えに来たときの文子の笑顔が、頭をよぎることがある……。

私は順調に試合を続けていた。トップ・スターは相変わらずジャイアント馬場。世間からは「人気の馬場、実力の猪木」と言われていた。

もともと日本プロレスは、力道山時代から日本テレビが独占的に放映していた。昭和四十三年からTBSが国際プロレスを放映していたが、スターが少なく、各局とも日本プロレスに割り込む機会を窺《うかが》っていた。

そんなときに、今のテレビ朝日、当時のNET役員の辻井氏が幹部たちを巧みに口説いたのだ。日本テレビはそのままで、NETで同時に他の試合を放映しないか。具体的には、馬場の試合は日本テレビで、猪木の試合はNETでやればいいじゃないか。

今までと同じことをしていて二局から放映料がもらえるわけだから、こんな楽なことはない。幹部たちは大喜びである。

一番反対したのは私だった。もし二つになったら、将来必ず問題が起きる。日本プロレスは分裂しますよ、と。

結局、昭和四十四年五月から、ＮＥＴが日本プロレスの試合中継に参入し、一団体二局放送という前代未聞《みもん》の時代がスタートした。

馬場は日本テレビの専属、私は両方に出られるという契約だった。これは、私と馬場のチームが、インターナショナル・タッグ王者だったからだろう。

これ以降、馬場と猪木は決定的に分かれることになった。それまでのスターであるジャイアント馬場に対して、新しいスター・アントニオ猪木が誕生したのだ。社内にも自然と猪木派、馬場派が出来てくる。勿論、馬場派が主流派だが。

私と馬場がライバル視されるようになったのは、私が日本プロレスに復帰した前後からだと思う。

デビューが同じといっても、馬場から見れば私は五歳も年下の若僧だったし、出世でも相当な差が開いていた。力道山が死ぬ頃までは彼の眼中には「猪木」はいなかっただろう。それまで中堅選手だった私が、帰国するなり新団体のエースになった頃から、互いに意識するようになったのではないか。東京プロレス時代には馬場に挑戦状を出したりしていたのだから。

言うまでもないことだが、私と馬場のプロレスはまったく違う。強い弱いでいえば、当然私の方が強い。それだけではなく、プロレス観がまるで違うと思う。私は自分の生きざまをリングでさらけ出し、観客に感動を与えるプロレスを目指していた。前にも書いたが、それは力道山から受け継いだものだ。力道山の「喧嘩《けんか》」あるいは「闘い」を見せるというプロレスは私の目標でもあった。

ジャイアント馬場のプロレスは、力道山を否定するところから出発したと思う。馬場には恵まれた大きな体がある。それだけで観客を呼べるのだ。力道山の「喧嘩」のプロレスは、性格的にも肯定できなかったのではないか。

五月に東京体育館で行われたワールド・リーグ戦の決勝戦で、私と馬場、ボボ・ブラジル、クリス・マルコフが同点で並んだ。当時は日本人スター同士の対戦はタブーで、馬場はブラジルと引き分け、私はマルコフに勝って初優勝となった。これで格の上でも完全に二枚看板になったのである。

十二月には大阪府立体育館で、私はNWA王者のドリー・ファンク・ジュニアに挑戦し、六十分フルタイム、ノーフォールの引き分けになった。その翌日ドリーは馬場の挑戦を受け、これも1対1でフルタイムのドロー。

私のプロレスはファンに支持され、視聴率もNETの方がどんどん伸びていた。しかし、あくまでもエースは馬場であった。力道山の持っていた、インターナショナル・ヘビー級の王者はジャイアント馬場だった。正直、私にもジェラシーがあった。

この頃だったか、カール・ゴッチがコーチとして招かれた。私はゴッチ教室の首席優等生だった。ゴッチの指導は厳しいが、学べば確実に強くなる。改めて私は、ゴッチのトレーニングや、関節技を夢中になって吸収した。馬場はゴッチには何の興味もないようだった。

昭和四十六年のワールド・リーグ戦決勝で、私、馬場、ザ・デストロイヤー、アブドーラ・ザ・ブッチャーがまたも同点で並んだ。ファンは無論、私と馬場の対決を望んでいただろう。

私はデストロイヤーと引き分け、馬場が優勝した。日本人同士の対決は許されなかったのだ。私には納得できなかった。ファンを失望させるようなカードを繰り返していたら、ファンが逃げて行くだけではないか。

その試合後、私は業界のタブーを破り「馬場のベルトに挑戦したい」との声明を出した。私は一番強い者がトップを取るべきだと思った。いつまでもナンバー・ツーに置《かっ》かれる自分の待遇に不満があったし、ユセフ・トルコなど反主流派の先輩たちが私を担いで焚《た》き付けたこともある。

しかし、このアドバルーンは「時期尚早」と却下された。コミッショナーが「ふたりが世界のチャンピオンすべてを倒し、もう闘う相手が存在しなくなったときに戦えばいい」なんて言っていたのを覚えている。看板商品である馬場を傷つけたくないという、あからさまな反応だった。馬場も挑戦を受ける気はなかっただろう。どちらが勝つかなんて、闘う前にもう明らかだったのだから。

その頃、私は倍賞美津子と付き合いはじめていた。

それまでも仲のいいグループの一人として交際していたが、何の進展もなかった。ダイアナと別れた後、私は一度ブラジルに帰った。そのとき、ブラジルの知人に倍賞のサインを頼まれたのである。それを口実にして、連絡して、彼女の練馬の家を訪ねた。

美津子の母親が大のプロレスファンで、私は母親に気に入られ、倍賞家に出入りするようになった。

初めての二人きりのデートは横浜へのドライブだった。外人墓地に行くときに、サイドブレーキを引いたまま走ってしまい、車が煙を吹いて大騒ぎになってしまった。その晩、屋台で物凄《ものすご》い量のおでんを食べたのを覚えている。

彼女のことを知るほどに、私は惹《ひ》かれて行った。私にとって、彼女は理想の女に思えた。彼女と一緒にいるだけで楽しかった。美津子は、人を喜ばせることがうまい。知らない人の輪にも平気で飛び込んでいって、すぐに楽しい雰囲気を作ってしまう。陽気な魅力で、気取りや警戒心を溶かしてしまうようなところがあった。

珍しい洋酒が手に入ると、酒が好きな父親への土産を口実に練馬の倍賞家を訪ねた。自分の方が先に酔っぱらってしまい、そのまま寝てしまったこともある。夜中に目が覚めると、他人の家だから、トイレがどこにあるかもわからない。壁に紙が貼《は》ってあって、

「トイレはこちら」と書いてあった。

交際しているうち、自然に結婚ということになった。

「どうだい、一緒になるか」

「いいわよ」

そんな感じのプロポーズだったと思う。

プロレスびいきの母親は私たちの味方だったし、反対していた父親も、最後には認めてくれた。

私はロサンゼルスのオリンピック・オーデトリアムでジョン・トロスに挑戦し、ユナイテッド・ヘビー級チャンピオンになった。それまでもタッグのチャンピオンにはなっていたが、シングルのベルトはこれが初めてだった。同行した美津子も飛び上って喜んでくれた。実は世界チャンピオンになったら婚約発表するという約束だったのだ。

凱旋《がいせん》帰国すると、私は倍賞美津子との婚約を発表した。

週刊誌の見出しに「倍賞美津子とアントニオ猪木が結婚」と書かれていた。「アントニオ猪木と倍賞美津子」ではなかった。プロレスはやっぱりマイナーなんだな……と思ったのを覚えている。当時の倍賞美津子は、まだそれほどのスター女優ではなかったのだから。

世の中がプロレスをそう見ているなら、超豪華な結婚式をやってやろう。私はそう決めた。それまでの最高が横井邦彦と星由里子の五千万円結婚式だったから、それなら一億だ。

私は子供の頃から引っ込み思案で、ぐずぐず思い悩む男だが、どこかで思いきると、今度はその反動で、どんなことでも平気になってしまう。そうなると金の計算も損得も考えられないで突っ走ってしまう悪い癖がある。

一億円結婚式を決めた背景には、何でも一番という祖父の教えもあったし、頭のどこかに、力道山の結婚式のことがあった。力道山は刺される半年前に、ホテルオークラで豪華な結婚式を挙げ、世界一周のハネムーンに出かけたのだ。

最初は、結婚式にそんなに金をかけるなんて、と日本プロレスの幹部に言われたが、プロレスの宣伝になると説得した。馬鹿《ばか》みたいなことだが、世間を見返す絶好のチャンスだと私は思っていた。結局、日本プロレスが費用を出してくれて、豪華な結婚式を挙げることになった。

挙式は昭和四十六年十一月二日、会場は京王プラザホテル。仲人は三菱電機の大久保謙会長。

一億円までは行かないが、それに近い金はかかった。衣装も料理も豪華版で、引き出物も柿右衛門《かきえもん》の皿と一枚五万円のブラジルの蝶《ちょう》の標本だ。

これは笑い話だが、式後の記者会見で、前の晩何していたかと質問され、私は試合後にこのホテルに一人で泊まったと答えた。ところが美津子があの調子で「朝起きたら、ベッドサイドに彼の書き置きがあった」と付け加えたので、一緒に泊まっていたことがバレてしまったのだ。

マスコミも大々的に取り上げてくれた。プロレスラーがあんなに話題になったのは力道山が死んで以来のことではないか。ところがこの結婚の費用を精算する前に、私は日本プロレスを追放されてしまい、またまたこれが借金になってしまうのである。


世間的にはマイナーなジャンルだったプロレスだが、馬場・猪木（当時のスポーツ新聞は野球のＯＮに対して、プロレスのＢＩなんて呼んでいた）の二枚看板で人気は爆発し、会社は大いに潤《うるお》っていた。

社長は芳の里、でも実際は、吉村道明と遠藤幸吉を加えた三人の幹部による合議制だった。ところがこの経営が相撲的経営というのか、何もかもどんぶり勘定で、会社の金も自分のもの、という乱脈経営だったのだ。それが力道山が死んだ後、ずっと続いていたのである。

博打《ばくち》狂いの豊登に詰め腹を切らせた後も、残った幹部たちの放漫経営は続いていた。

幹部連中は会社の金庫から札束を抜いては毎晩銀座へ繰り出し、ピアノの生演奏で歌いまくり、何軒もハシゴして湯水の如《ごと》く金を使う。そういう席には、自分の子飼いのレスラーだけを連れて歩くのである。ゴマすりがうまいのが出世するのだから、真面目《まじめ》に練習している奴《やつ》は馬鹿を見る。

実際、レスラーたちが練習しなくなっていたし、私の練習量も落ちていた。当時の写真を見るとわかるが、私も腹の肉が弛《たる》んでいる。それで通用してしまったのである。

私はアメリカで各地を回り、プロモーターたちのアイディアと営業努力が興行を支えているのを見てきたから、日本プロレスの経営には危機感を持った。人気に胡座《あぐら》をかき、ぬるま湯につかっているような体質が、いつまでも続くとは思えない。人気がある今のうちに手を打っておかないと、大変なことになる。

幹部たちのバックには、児玉誉士夫《よしお》などの右翼系の大物がいて、そういう人たちに牛耳られているということに社会的批判もあり、私も不満だった。

幹部が湯水のように下らないことに浪費している金は、私たちが血と汗を流し、必死で稼いだ金である。

調べてみたらやはり帳簿は不透明この上なく、使途不明金だらけ。私は自分の結婚式の直前に、選手会長の馬場と赤坂の中華料理屋で話し合いを持った。その頃はもう私も馬場も役員だった。

馬場は慎重な男で、人を信じないところがある。私は逆に信じ過ぎてしまう方で、まるで正反対の性格だ。それでも、馬場も幹部の不正については思うところがあったらしく、意見は一致した。不正を正し、選手の待遇を改善し、経理をガラス張りにしてもらおう、と。

私は計画をきちんと立ててから行動する方ではない。そのときも、とにかく不正は許せない、という気持ちが先走っていた。

私たちは一部幹部の退陣を求めることにした。もし要求が受け入れられなければ、全員退団するという嘆願書に選手たちはサインした。その時点では選手たちの気持ちも一つになっていた。

私のサイドビジネスを手伝ってくれていた計理士の木村昭政が加わり、参謀格として計画を細かく練り上げた。会社経営に疎《うと》い私たちレスラーには、木村の知識は武器になった。

しかし、今考えれば、この木村という男を選んだのが私の最大の間違いだった。木村は元警察官でプロモーターもしていた。木村としては、このチャンスに日本プロレスに食い込み、金を引き出そうとしたのだろう。木村が隠れて切った小切手がきっかけで、他の選手たちが不審を抱き、猪木が会社を乗っ取ろうとしていると思い始めたのである。

木村には、確かに邪心があったと思う。彼を連れてきた私の責任も認めよう。だが、当時の日本プロレスの経営陣が不正行為をしていたことは事実だ。私の行動も、それを正そうとする気持ちから出発していたということは信じて欲しい。

直接のきっかけは、上田馬之助の裏切りだった。それまで私と行動を共にしていた上田馬之助は、幹部の遠藤幸吉に「猪木が日本プロレスを乗っ取ろうとしています」と告げ口したのである。幹部たちは慌《あわ》てて懐柔作戦に出た。それで馬場を始めとする選手たちも、皆寝返ってしまった。

私は孤立した。

幹部はもちろん、選手会からも冷たい目で見られ、四面楚歌《しめんそか》である。これでは試合どころではない。

水戸だったと思うが、テリー・ファンクとの試合が組まれていた。ヤケクソになった私がテリーにセメント・マッチを仕掛け、潰《つぶ》してしまうのではないかと怖《おそ》れた幹部が、若いレスラーたちを焚き付けていた。

若手たちはリングの下で、もし私が変な動きを少しでもしたら袋叩《だた》きにしてやろうと狙《ねら》っている。結婚式のために帰国していた私の弟が、それを聞きつけ、兄貴を守ろうとナイフを持ってリングサイド席に座っている。そんな異常な雰囲気の中、試合していたのだ……。

暴力団からの脅しもあり、身の危険を感じた私は、大阪で組まれていたドリー・ファンク・ジュニアとのタイトルマッチを欠場した。前夜に尿管結石で入院したのである。半ば仮病だった。

結局「会社乗っ取り犯人」ということで、私一人が悪者にされ、選手会からは除名。私は日本プロレスを永久追放されてしまったのだった。

――最近、上田馬之助は交通事故で脊椎《せきつい》損傷の大怪我《けが》をした。今は九州で必死のリハビリを続けている。その彼が引退興行をすることになり、テレビ局が私に取材に来た。ディレクターが上田からの伝言があります、と言う。

それは「一言だけ、猪木さんにお詫《わ》びしたい」というものだった。

彼の真意はわからない。だが、あのとき彼が裏切ったことについては、今はもう恨みも怒りもない。お人好《よ》しと言われるかもしれないけれど、これは正直な気持ちだ。

それにしても、私が追放されたときは、あの結婚式からまだ一ヶ月半。何だか天国から地獄に突き落とされた気分だった。会社を追放されたことよりも、仲間たちに裏切られたことの方が、私の心を深く傷つけていた。

6

独立、新日本プロレス旗揚げ

新日本プロレス旗揚げ後、最初の試合
（大田区体育館）で挨拶をする著者

とにかく私は負けたのだ。言い訳をしても仕方ない。しかし会社の改革を訴えたのは私だけではない。もしそれが罪になるなら、私とジャイアント馬場は同罪のはずだが、ここでも私と馬場の運命は分かれることになった。

馬場は頭を下げ、選手会長を降りて日本プロレスに居残った。馬場はそれから密《ひそ》かに独立の準備をスタートさせる。策略家なのである。

私は最後に芳の里社長に会った。造反劇という形になってしまったが、その底にあった私の思いだけは聞いて欲しいと、話をした。私は、もう日本プロレスに戻る気はなかった。

中堅選手の山本小鉄が私と行動を共にしてくれた。

「アントニオ猪木はもう引退するしか道はない。プロレスには永遠に復帰できないだろう」

マスコミにはそう書かれ、事情通もそう断言している。

東京スポーツの一面に、「悪者は追放された！」と万歳している選手たちの写真が載っていた。今でもあの写真は鮮明に記憶している。どの顔を見ても、直前まで私の仲間だった連中だ。

日本プロレスやマスコミは、私を抹殺しようとしている。私は反発した。私はまだ引退する気はない。十年以上のキャリアを積み、理想とするプロレスの姿も見えてきていた。ようやくプロレスラーとして脂《あぶら》が乗ってきたところだ。

四面楚歌《しめんそか》の中、それでも私を支持し、期待してくれる人たちがいた。そんな声に励まされ、私は新団体を興《おこ》すことを決意した。こうなったら、私を追放した幹部たち、そしてジャイアント馬場や裏切った選手たちを絶対に見返してやる！

私の付き人だった若手の木戸修と藤波辰爾《たつみ》が、東京スポーツのその写真の中に写っていた。万歳している選手たちの隅で、何だか肩身が狭そうに横を向いている。こいつらにも声をかけてやらなければ、と思った。彼らも悩んでいて、私は彼らの親に会って説得した記憶がある。藤波たちはまだ入団したてのグリーンボーイだったから、日本プロレスにとっては戦力外で、割と簡単に私の方に呼ぶことが出来た。

世田谷上野毛の家を道場に改装し、美津子と私は倍賞家に居候《いそうろう》させてもらうことにした。まだ新婚なのに申し訳なかったが、レスラーはまずトレーニングしなければならないというのが私の持論だった。こんな当たり前のことも、日本プロレスでは通用しなかった。しかし人に誇れる強靭《きょうじん》な肉体があってこそのプロレスではないのか。

何の準備もなく新団体設立になったのだから、資金面が一番の悩みだった。日本プロレスが払う約束だった一億円結婚式の費用も、私の借金になってしまった。美津子は「馬鹿《ばか》ねえ、お金を貰《もら》ってから辞めればよかったのに」と笑ってくれた。

私は朝から晩まで、スポンサーを捜して歩いた。プロレス・ファンの社長がいると聞けば、そこを訪ね、とにかく話を聞いてもらう。そこでまた誰かを紹介してもらって次の人に会いに行く。当然、打率は低い。好きなだけ私を引っ張り回して、それで「面倒見た」と言っている人も多かった。

毎日、くたくたになるまで歩き回り、ベッドに倒れて眠り、また朝一番で走り回る。その合間にトレーニングもしなければならない。それでも一日三十軒回るというノルマを決めて、必死に歩いた。

その中で出会った人たちから一口百万円の出資を募り、何とか一千五百万ぐらいの資本金をかき集め、新日本プロレスを設立したのである。

まず日本人の選手を集めなければならなかった。当時、メキシコに遠征していた柴田勝久たちに会いに現地に飛んだのだが、そのときには彼らはグアテマラに飛ばされていた。私はグアテマラまで追いかけ、彼らは新日本プロレス入りを決めてくれた。

東京プロレスのところでも書いたが、当時はＮＷＡというプロモーター連合がアメリカを牛耳っていた。あのときと同じで、日本プロレスから圧力がかかっていて、アメリカの大物はブッキングできない。

それでグアテマラに行ったついでに、中南米系のレスラーを口説いて歩いた。メキシコはNWAの息がかかっていたが、その他の国は比較的自由だったのだ。結局、そこのレスラーは呼ばなかったのだが、ギャラを貰いにプロモーターの事務所に並んでいたレスラーたちを、一人一人口説いた記憶がある。

新日本プロレスに協力することはNWAに敵対することなのだ。私にはNWA全体が敵に思えた。その時点で自分が理想とするレスリングが出来る相手としては、ドリー・ファンク・ジュニアがいたが、彼はNWAの中心選手だったから、対戦は不可能だ。ドリー・ファンクが駄目だとすれば、私が思うような試合が出来て、しかも頼れる相手は、カール・ゴッチしかいない。

カール・ゴッチは、アメリカのプロレスでは異端児であり、その当時はニューヨークのWWWF（現WWF）という団体に出場していた。だが、あまり優遇されていなかったと思う。当時ゴッチは四十八歳。あまりに強すぎて試合を組んでもらえなかったという全盛期の力はなかったが、それでもゴッチはズバ抜けて強かった。

ゴッチとしても、私に協力すれば業界から抹殺されかねない状況だ。リスクを伴うだけに、生活の保証という意味の金を要求してきた。プロである以上、それは当然のことだったと思う。かなりの額だったが、私は払う約束をした。

ゴッチは選手のブッキングもしてくれた。どれも知名度は低く、アメリカでは反主流派の選手たちだったが、実力はあった。彼らは同じ境遇の私たちの主旨を理解してくれ、精一杯のファイトをしてくれたと思う。

旗揚げに際しては、東京プロレス時代のノウハウが役立った。

日本プロレスという強大な敵が相手で、様々な圧力があったのだが、私たちには情熱があった。

手弁当で集まったスタッフが力を合わせ、旗揚げに向けて準備が進んでいった。無駄な金を使う余裕がないから、ポスターも自分たちで作った。宣伝カーのテープも自宅で録音した。アナウンスを倍賞千恵子がやってくれたのも懐《なつ》かしい思い出だ。

人数は少なかったが、日本プロレスとは違い、上から下まで意思の疎通はしっかりしていた。若い選手たちのトレーニングにも気合いが入っていたし、毎日が大変だったけれど充実していた。

新間寿が参加したのもこの頃だったと思う。私は根っからプロレスが好きな新間という男の才能を評価していたし、東京プロレスの挫折《ざせつ》で彼が苦労していたのも見てきた。日光の銅山で新間が働いていたとき、宇都宮あたりで巡業があると、彼は同僚たちを連れて観戦に来た。私に出来ることは、せいぜい彼の同僚たちと写真を撮ったり、サインするぐらいだったが。

新間としても、豊登にかけた夢が破れた今、アントニオ猪木に残りの夢を託す気持ちがあったと思う。日本プロレスで私が組んだ木村という人物は、新日本プロレスにも参加していたが、経済的に苦しい日々の中で結局は去って行き、新聞が私のマネージャーになったのである。

旗揚げは昭和四十七年三月六日。私が日本プロレスを追放されてから三ヶ月後だ。大田区体育館から新日本プロレスの歴史はスタートする。

このとき、国際プロレスで引退していた豊登が駆けつけ、私の要請でリングに復帰することになった。

これはさすがに理解していただきにくいことだと思う。豊登は私を利用するだけ利用して、逃げてしまった男だ。東京プロレスが崩壊したのも豊登の借金が原因だったし、私はその借金を返済するために苦しんだのだから。

それでも――奇妙なことに私は豊登を恨んでいなかったのである。前にも書いたが、私は人を信用し、好きになってしまうタイプの男なのだ。どんなに騙《だま》されても、結局は許してしまう甘いところがある。その甘さでさんざん苦労してきたのだが、最近はこれは自分の持って生まれた長所だと思うことにしている。

豊登だけではない。裏切り者の上田馬之助も後に新日本プロレスで活躍することになったし、私を追放した芳の里だって、困ったときは馬場ではなく私を頼って来るのだ。どうしてと聞かれてもうまく説明出来ないのである。

大喧嘩《げんか》していた相手とまた仲良くなることがよくあるから、私の周りの人たちはいつも呆《あき》れ果てているようだ。引退した今だって、また私が新聞と組むのではないかと怖《おそ》れている人もいるぐらいだ。そんなことないよといくら否定しても、まるで信用されていないようである。

もちろん、私しかスター選手がいない状況で、豊登の名前が欲しいということもあった。だが豊登自身、もうプロレスに情熱がなくなっていたし、体力的にも往年の輝きはない。むしろ、私のセンチメンタリズム、つまり先輩の豊登にもう一花咲かせてやりたいという気持ちが、大きかった。力道山に次ぐあれだけのスターだった豊登が、落ちぶれた生活をしていることに、我慢できなかったのだ。

旗揚げに来てくれた五千人超満員のファンは、最初のセレモニーに花束を持って登場した豊登を見て、喜んでくれた。私が豊登に頭を下げ、試合に出てくれと頼むと、「豊登、出なよ、猪木が苦しいんだから」と声がかかったのを覚えている。

結局、豊登はテレビがつくまでの間、新日本プロレスのリングに上がることになる。

この夜のメーン・エベントは私とカール・ゴッチとの時間無制限一本勝負。

二十九歳になっていた私のコンディションは、最高だったと思う。リングに上がったゴッチは、少し唇が青かったが、実力は落ちていなかった。ゴッチはやはり強かった。

彼は教え子の門出に花を持たせるような、そんな男ではない。私はゴッチに学んだ卍《まんじ》固めを切り返され、スープレックスで叩《たた》きつけられてフォール負けした。

私は満足していた。勝ち負けではなく、プロレスの凄《すご》みを観客に伝えられた。カール・ゴッチ流の技術の攻防を見せるスタイルと、力道山流の喧嘩に近いスタイルを融合させた、アントニオ猪木流のストロング・スタイルを見せることが出来たのだ。

旗揚げでエースが外人レスラーに負けるなんて、力道山時代には考えられない事件だ。しかし、観客も新しいプロレスの幕開けを感じ、評価してくれた。

旗揚げ後も状況の厳しさは変わらなかった。観客動員が少なくても全力ファイトを続けていくうち、私たちのプロレスは着実に浸透していったのだ。

新日本プロレスは実力主義である。日本プロレスや他の団体とは違い、うちでは道場で強い奴《やつ》だけがメーン・エベンターになれる、という鉄則があった。だから新人にも徹底的に「強さ」だけを教え込んだ。見栄《ば》えのする技や客受けするパフォーマンスを若手がしようものなら、私が竹刀《しない》を持ってリングに走り、客の前で制裁をくわえたものだ。

今は東京ドームを満員にする新日本プロレスも、最初の頃は客も少なく、ガラス窓が割れたボロボロの体育館で必死に闘っていた。

昔からのファンに言われたことがある。

「あの頃、出張先で偶然新日本の試合を見つけ、会場に入ったら、客は寒くてジャンパー着込んで背中丸めてるのに、リング上の選手の身体《からだ》からはもうもうと湯気が立ち上っていたよ」

五月に日本テレビがプロレス中継を打ち切った。七月末にはジャイアント馬場が日本プロレスを退団、フリー宣言し、十月には全日本プロレスが旗揚げすることになる。そのとき日本テレビが馬場の全日本を中継するのである。

常に行動が先になってしまう私と違って、利口な馬場は幹部にいい顔をしながら裏でじっくり根回しをし、日本プロレスから日本テレビを奪って行ったのだった。

その時点で、日本プロレスに残ったスターは坂口征二だけだった。ＮＥＴが坂口の試合を金曜夜八時に中継していた。全日本は日本テレビで土曜夜八時。国際プロレスはＴＢＳが日曜日に放映していた。私のところだけがテレビがついていなかったのだ。

しかし、一番観客を動員していたのは新日本プロレスだった。テレビがつかなければ、チケットの売り上げが収入のすべてだ。私は自分の手で一枚一枚、チケットを売り歩いた。気持ちよく買ってくれる人もいたが、一日引き回して結局買ってくれなかった人もいる。だが、あの経験は今も自分の財産になっている。その後、どんなにプロレスが不景気になっても、いざとなればまた一枚一枚売って歩けばいい、と開き直れたのだから。

それは日本プロレスにも全日本プロレスにも欠けていた部分だと思う。

力道山の頃はもちろん、馬場・猪木時代だって、チケットなんか売る必要がなかった。

営業の仕事はプレイガイドやスポーツ店に置いてくるだけ。それだけで勝手に売れたのだ。営業マンは金だけ回収して、後はゴルフをやっていればよかった。

当時の営業マンは、レスラーより収入がよかったのではないか。というのも、当時の興行はすごくいい加減だったのだ。集めた金をチェックする体制なんかなかった。チケットが売れたか売れないか、招待券に替えるか替えないか、自由自在である。今でもその体質は残っていると思うが、その当時は役職もない営業マンが毎晩高級バーをハシゴしていたものだ。

現在の新日本は、かつての日本プロレスのように、営業しなくてもチケットが売れるようになってきている。それは理想なのだが、しかし必ず人気が落ちるときがくる。だから一時の人気に胡座《あぐら》をかかず、しっかりと地道な営業活動を続けていて欲しいと思う。一枚一枚チケットを売ったことが、今の新日本プロレスに繋《つな》がっているのだから。

力道山もプロモーターとしてのセンスは一流だったし、私もアメリカ時代に各地でそれを学び、挫折はしたが東京プロレスでも勉強したつもりだ。いかにして客を集めるか――私は新日本プロレスでそれまで培《つちか》ったノウハウを実践していった。観客には若者が目立って増えていた。

裏千家の若宗匠の兄弟が、同志社大学の学生で、自分たちで作ったプロレス同好会の会報を送ってきたことがある。私たちのプロレスが大学生にも支持されている、と最初に実感したのはそのときだ。

国際プロレスはあったけれど、事実上、猪木・馬場・坂口の三角関係である。まだキャリアも浅い坂口が日本プロレスを支えることになった。しかし、見ていて気の毒なほどだった。坂口をどう売り出すのか、プロデュースする側に何の戦略もないのだから。しかも、リングサイドから四、五列だけしか客が入っていないのが、しっかりテレビに映されてしまう。

日本プロレスの崩壊の原因は、どういうプロレスを見せるかというポリシーのなさだったと思う。私にははっきりあったし、馬場は馬場なりにあったのだろう。ポリシーがないから、結局、乱闘劇や流血シーン、つまりは茶番劇的な試合が行われていくのだ。私たちとの差は、どんどん開いていった。

一年後、NETの視聴率が急速に下がってきた。NETとしては坂口だけではやっていけない。出来れば猪木が欲しい。これが本音だったと思う。

そんなときに、私はたまたま東京駅で新幹線に乗ろうとして、坂口たち一行と擦れ違った。彼らが降りて来たのが見えたので、こちらから声をかけた。日本プロレスの星野勘太郎が挨拶《あいさつ》に来て、私は坂口と少し立ち話をした。

敵対している相手の人気が落ちて行くのは結構だが、それでプロレス自体の人気が落ちてしまっては共倒れになる。そういう危機感が私にあった。

「俺は苦しいけれど、毎日、会場に来てくれる何百人かを対象に、いい試合を続けているつもりだ。でも、君たちはテレビで何千万という人を相手にしている。もし君たちのプロレスの質が悪ければ、プロレス界全体のマイナスになるということを忘れずに、頑張ってくれ」

坂口には、そんな話をしたと思う。

このときの対面が坂口には印象的だったようだ。坂口にも、もう日本プロレスが駄目になることはわかっていたのだ。

NETの辻井常務が、坂口を呼んで、猪木とドッキングしないかという話をした。そのときはジャイアント馬場からも誘いがあったらしい。これは坂口にとっては大きなチャンスだ。本人の決断でどんな選択も可能だったのだ。だが彼自身、芳の里の縁で入団した経緯があり、決断しかねていた。坂口はもともと保守的な男なのである。

NETから私にも話があって、ともかく一回交渉を持とうということになった。

「義理人情の泥舟に乗って沈むのもよし。しかし恩義の返し方は幾らでもある。俺たちが組めば必ずプロレスは盛り上がる。そのときに芳の里さんに手を差し伸べればいいじゃないか」

私の説得で坂口も揺らいだ。それがきっかけで、坂口は新日本を選んだのだ。ちなみにそれから二十年以上たって、芳の里が中心になって設立した「力道山OB会」に新日本が全面協力することで、坂口なりの義理を果たすことになる。

坂口の入団に際しての条件は、すべて私と五分五分ということだった。彼の参入で新日本プロレスは旗揚げから一年たって、ついにテレビ中継を勝ち得たのである。

坂口征二は日本プロレスから何名かの選手を連れて来た。受け入れる側も来る側も、選手たちの気持ちは複雑だったと思う。その前までは私も「坂口なんて片手で三分あれば倒してみせる」なんて公言し、怒った坂口が「指三本で猪木を倒す」なんて反論していたのだから。微妙な空気は私も感じたが、時間が解決するだろうと思った。

坂口が来てからは、完全に追い風が吹いた感じだった。昭和四十八年の四月六日からNETで「ワールド・プロレスリング」がスタートした。坂口とテレビを失った日本プロレスは、二週間後に消滅した。結局は私の予言通りになってしまったのである。

観客動員も視聴率も好調だったが、相変わらずNWAの圧力で、外人ルートは弱いままだった。日本プロレスが消えても、今度は馬場の全日本プロレスが圧力をかけて来た。

私はジョニー・パワーズのように、本場アメリカではマイナーな選手たちと闘っていかねばならなかった。彼らはどちらかと言えば不器用だし、輝くようなスター性や凄みを持っているわけではない。だから相手の商品価値を上げるには、本来持っている力が五だとすれば、七や八まで引き出してやり、その上で倒すというのが理想だ。しかし言うのは簡単だが、向こうも真剣に来るわけで、いつもそううまく行くわけではない。砲丸投げからプロレス入りした私には、格闘技経験がない。それが結果的によかったと思う。柔道でも相撲でもアマレスでも、一流になるほど型が出来上がってしまう。そこから変化するというのは物凄く難しい。

私には型がなかったから、逆にどんな相手とでも好勝負になったのだ。グラウンドの関節技でも、立ち技でも、パンチやキックでも、柔軟に対応できた。後に異種格闘技戦をやったとき、その実感はより強くなる。

遠藤幸吉の知人で吉田という古いプロモーターがいた。日系二世で力道山時代から各地にネットワークを持っている人だった。

彼からカナダにインド系の面白いレスラーがいると言って来た。それで資料を入手して、呼んだのがタイガー・ジェット・シンである。

ジェット・シンはもともとオーソドックスなレスリングをする正統派の選手だった。だが、彼が持っていた狂気を私が引き出していくと、彼は凶暴な悪役に変貌《へんぼう》を遂げた。

ジェット・シンが狂うほどに、観客は熱狂した。私とジェット・シンの試合は話題を呼び、怖いもの見たさで観客が詰めかけるようになった。私も彼もどんどんエスカレートして行った。私も彼の腕を折ったこともあるし、彼も私を血ダルマにした。ついには試合会場でも何でもない新宿の伊勢丹前で、買い物をしていた私たち夫婦をシンが襲い、警察沙汰《ざた》になったこともあった。

誤解を怖《おそ》れずに言えば、プロレスはセックスに非常によく似ている。体を通して互いに刺激し合い、相手の反応を見ながら次の手を打つ。相手もまた様々な技術で応酬してくる。いい相手とセックスすれば自分も高まり、素晴らしい快楽と解放感を得ることが出来る。プロレスの場合、それを支える観客の視線も必要条件になる。

私にとってジェット・シンはいいセックスが出来る相手のようなものだった。闘うほどにテンションが上がり、快感が増して行くような感じで……私も燃えたのである。セックスはどうかわからないが、格闘技では身体に残った感覚は消えない。闘って「こいつは凄い」と感じたことは絶対なのである。

ジェット・シンもそれまではパッとしない選手だった。彼もまた、プロモーター兼レスラーである私が、開花させた選手のひとりだろう。他にもスタン・ハンセン、ハルク・ホーガン……皆、私と闘う中で自分自身の持っている何かに気づき、アメリカで大スターになって行ったのだ。

倍賞美津子というパートナーの存在を通して、映画の世界を覗《のぞ》けたことは、私にとって大きなプラスだった。彼女の仕事場にはほとんど行ったことはないが、彼女の友人たちと知り合い、まったく知らない世界の人たちと交流することが、刺激になったのだ。

役者は自分ではない何かを演じているのだが、ある瞬間に、完全にその役に成りきることが出来る。自分とその役が重なる瞬間。その瞬間を見ることで、人は感動するのだと思う。

その頃考えていたのは、真剣勝負に芸術性を持たせるにはどうしたらいいか、というようなことだった。茶番劇では誰も見てくれないだろう。しかしいくら真剣勝負といっても、殺し合いを見せるわけにはいかない。力道山の空手チョップが日本人の無意識の中にある「怒り」の表現だったように、殺伐とした闘いの中でも、今の時代の観客を感動させることが出来る筈《はず》だ……。

タイガー・ジェット・シンとの試合を通じ、アントニオ猪木のプロレスが完成に近づいていく実感があった。それにつれて新日本プロレスの人気も完全に安定してきた。

その当時、国際プロレスは苦戦が続いていた。頼みのＴＢＳが放映を打ち切ることを決めたようで、エースであるボディビル出身のストロング小林（後のストロング金剛）も会社に不満を抱いているという噂《うわさ》だった。

新聞が密《ひそ》かに小林と交渉した。小林は、何というか、母親離れしていないところがあって、彼の家族は結びつきが大変に強い。新聞は根気よく通って家族を説得した。

結局、小林は国際プロレスを離脱して、フリー宣言し、私と闘うことが決定したのである。

今でもそうだが、日本人の団体トップ同士が闘うというのは、大事件なのだ。私が同じ団体内のジャイアント馬場に挑戦したときでさえ、前例がないと握り潰《つぶ》されてしまったのだから、他団体のトップと闘うことは不可能とされていた。当人の問題だけではなく、団体の面子《めんつ》がかかってくる。負ければ、下手をすると団体が存続できなくなるかもしれないのだから。

国際プロレスは契約をタテに訴訟を起こすと言い出した。しかし東京スポーツの井上社長が間に入って調整してくれ、試合は実現することになった。マスコミは「昭和の巌流島の決闘」と書き立てた。

この試合は大変な話題になった。蔵前国技館に観客が入りきれず、三千人の客が雨の中会場を囲む騒ぎになったほどだ。それほど、それまでは日本人対決はタブーだったのであり、同時に観客が待ち望んでいたということだ。

小林はボディビルをやっていただけあって、日本人離れした筋肉が売り物のパワー・ファイターだった。だが本来、格闘技におけるパワーというのはそういうものとは違う。格闘技にはルー・テーズが持っていたような、しなやかな筋肉が必要になってくる。ライオンや野生動物の持っているような、しなやかな筋肉である。

例えば堅い棒と棒の先を合わせて押してやると、まっすぐに押せる。しかし、先端が尖《とが》った細い竹を相手に、同じように押してみると、うまく押せず、向こうの先端がしなって横に外されてしまうだろう。

格闘技におけるしなやかさも同じで、しなやかな相手と闘うと、こちらが押してもすっと外されてしまうのだ。そのときは、まるで力が吸い取られるように感じる。しなやかな力はバランスがいいから、なかなか崩れることがない。いくら攻め込んでも、抵抗なく体が開いたり、横に自由に動く。逆にボディビルの筋肉の力は、バランスを失うと、もう何の効力もなくなってしまうのだ。

それは相撲を見てもよくわかる。見た目は体格がよくて筋肉が盛り上がっていても、ちょっとスカされると、とーんとつんのめって前に倒れてしまう。要するにバランスがいい、しなやかな力を持った相撲取りが強いのである。

ストロング小林の場合もそうだった。筋肉の量は凄いが、闘ってみるとパワーはあまり感じない。つまり見かけよりも格闘のパワーが小さかったのだ。自分で言うのも何だが、私はその逆で、見かけは華奢《きゃしゃ》だが格闘パワーはあった方だと思う。

試合の主導権は完全に私が握っていた。あのとき小林は最後まで私の手の中で闘っていた。正直、私はストロング小林という選手を自分より下に見ていたし、絶対に負けるわけがないと思っていた。勝つことよりも、小林をどう料理してみせようか、そのことに意識があったのだから。それほど、あの当時の私は自惚《うぬぼ》れていたし、自分の力に自信があったのだ。

三十分近い白熱の攻防の末、最後はジャーマン・スープレックス・ホールドで、私は小林を仕留めた。

報知新聞を除くすべてのスポーツ新聞がこの試合を一面トップで扱ってくれた。視聴率も最高記録を作った。

ストロング小林はアメリカに渡り、ニューヨークで世界チャンピオンのブルーノ・サンマルチノのライバルとして大活躍する。その年の暮れに私と再戦するために帰国し、敗れた後、新日本プロレスの選手として活躍することになる。

ともかく、この試合がプロレス・ファンに与えた衝撃は凄いもので、これ以降、アントニオ猪木と新日本プロレスの人気は爆発的に伸びて行った。

大木金太郎が挑戦してきたのも小林戦と同じ年だった。大木は日本プロレスが崩壊して、一旦《いったん》全日本に入ったが、待遇に不満を持ち、飛び出した。私にとって大木金太郎はデビュー戦の相手だったし、共に苦労した仲だけに、様々な思い出がある。だが、この時点ではかなり実力の差が開いていたと思う。

大木は若い頃からグラウンドが強い選手だったが、体が堅く、関節技も昔のレベルから進歩していなかった。人形町の道場時代は、足を入れて相手を潰し、上から押さえておいて、腕を取ってリストを極《き》めるのが基本で、関節技にはいくつかのパターンしかなかった。私はその先の技術をカール・ゴッチから学び、その後も自分なりに工夫を重ねていた。

試合は私がバックドロップで勝った。私は「実力日本一」と呼ばれるようになっていた。

暮れにはブラジルに凱旋《がいせん》した。超満員のサンパウロのコリンチャン・スタジアムでアンドレ・ザ・ジャイアントとのタイトルマッチ。ブラジルで試合をするのは初めてである。

力道山の「三年」という約束は果たせなかったが、十三年目に、やっと一つ夢を果たした気がした。私にとって、やはりブラジルは第二の故郷なのだ。

このとき、ブラジル政府からフランシスコ特別文化功労賞というのを貰《もら》った。私は勲章の類《たぐい》にはあまり関心がないから、よくわからないし、特別な感慨はなかったが、新聞は人一倍そういう物が好きなので、私以上に喜んでいた。

ところで今でもまだ、私をブラジル人だと思っている人が多い。ブラジルから日本に出稼ぎに来ている人に声をかけられることもある。私を同胞だと思っているのだろう。

私はどうも国家意識が低いのかもしれない。もちろん愛国心はあるが、それと同時に、どこの国に所属しているかなんてどうでもいいのではないかとも思っている。

イタリアに興行に行ったとき、テレビの人気番組に出演した。イタリア美人がずらりと並んでいるワイドショーのような番組だった。

「アントニオという名前はイタリア人の名前です。あなたはイタリア系なのか?」

　と司会者に聞かれ、

「そうかもしれませんね。先祖にイタリア人の血が流れているかもしれません」なんて答えた。いい加減なのである。

　そうしたら、私はイタリア系だということになってしまい、いたるところに私のポスターが貼《は》られ、イタリア興行は大盛況だった。今でもイタリアに行くと私の人気は凄《すご》い。私はプロレスラーとしてノリにノッていた。自信に満ちあふれ、誰にも負ける気がしなかったし、プロモーターとしても結果を出していた。タイガー・ジェット・シンとの闘いもエスカレートしていたし、ルー・テーズやビル・ロビンソンとも闘った。

　ロビンソンと闘った同じ日、全日本プロレスは国際プロレスと組んで、力道山追善十三回忌記念特別興行を武道館で行っていた。全日本との興行戦争も加熱していたのである。私は私のやり方で力道山追善をすればいいと思った。

　ロビンソンと私は共に「カール・ゴッチとルー・テーズの後継者」と呼ばれていた。昔ながらのレスリング・テクニックを持つロビンソンは、さすがにうまくて強い選手だった。ゴッチよりも柔軟性では優れていたと思う。試合は互角の勝負になった。観戦していたテーズとゴッチが絶賛する内容だったし、観客も満足してくれたから、もし力道山がこの試合を見ていても、試合後に私を殴りはしなかったろう。

「いつ何時、誰の挑戦でも受ける」と私は常々公言していたし、その自信もあった。

同じ年、アメリカのあるパーティの席上で、ボクシングのヘビー級チャンピオンのモハメド・アリが「誰か東洋の格闘家で私に挑戦するような奴《やつ》はいないか」と発言した。アリはビッグ・マウス（ほら吹き）と呼ばれていたし、誰も本気にしなかったようだが、私はそれを聞いて名乗りを上げた。

こうして私とモハメド・アリとの長い因縁がはじまることになる。

7

異種格闘技戦
因縁のモハメド・アリ

モハメド・アリ戦

一九六〇年代、私がアメリカを巡業して回っていた頃のことだ。KO・イエーテという元ヘビー級のランキング・ボクサーがいた。彼がプロレスラーに転向し、たまたま私と一緒に旅をすることになった。私は彼とは対戦はしなかったけれど、仲間としてよくボクシングの話を聞かされた。カシアス・クレイという名だったアリが、チャンピオンになった頃である。あの頃、白いトランクスをはいたアリの姿をテレビで見た記憶がある。

その前後に、こんなことがあった。ジョージ・バサラスという、ロサンゼルスの有名なボクシングのプロモーターがいて、日本人のボクサーを捜しているという。東京スポーツの吉本カメラマンが私のことをバサラスに伝え、会うことになった。私の体と動きを見て、是非試合を組みたいという話になり、ギャラも具体的に提示されたのだ。

ボクシングも悪くないと思い、本格的に練習する気になっていたのだが、仲間だったKO・イエーテにボクシングの内情を聞かされ、厭《いや》になってやめてしまった。もしボクシングに進んでいたら、当然、アリを目標にすることになったと思う。

アリの人気は凄《すご》かったし、同世代だった私にとっても憧《あこが》れのヒーローだった。私は結局ボクシングはやめて帰国し、そんなことも忘れてしまったのだが、アリの発言を聞いて、じゃあ、俺がやってやろうと思ったのである。

格闘家としては、対戦してみたいと思うのが自然だろう。「ボクシングこそ地上最強の格闘技だ」というアリの台詞《せりふ》に、カチンときたということもある。

力道山時代と違って、プロレスの強さを信じてくれる人は少なくなっていた。ボクシングであれば大新聞が記事にする。しかし、プロレスは絶対取り上げない。どんなに人気があっても、私たちは世間から蔑《さげす》まれているのだ。私は苛《いら》立《だ》ちを感じていた。プロレスラーが体のでかさだけで語られるようになっては、困る。

反対する人も多かったが、こういうことが大好きな新聞は非常に面白がってくれた。柔道出身の新聞はプロレスラーの強さをよく知っていたし、私と同じ苛立ちを持っていたのだ。

アリはクアラルンプールでタイトルマッチをやることになっていた。東京を経由してマレーシアに行くという情報をキャッチし、私は正式に挑戦状を渡してもらった。アリは私のことなどまるで知らなかっただろうが、いつものリップ・サービスで「エブリタイム・OK」と答えた。

当然アリからは公式な返事がこない。私の売名行為だということになって、物笑いで終わってしまった。

しかし、私の挑戦のニュースは世界に流れた。それがきっかけで、ミュンヘン・オリンピックの柔道の金メダリスト（重量級と無差別級）だったウィリエム・ルスカが、私と試合をしたいと言って来たのだ。柔道もボクシングと同じように、大新聞が取り上げる〝メジャー〟な格闘技だ。だからルスカの話が決まったとき、私は「外電で流せ」と命じた。外電で流れれば新聞も書かざるを得ないだろう。向こうにとっては大したことではないだろうが、私にとってはそんなこともレジスタンスだったのである。

ウィリエム・ルスカとの試合は異種格闘技戦と呼ばれた。後にこれは新日本プロレスのドル箱興行になるが、そのスタートはアリではなくルスカだったのだ。どっちが強いのか、という単純明快な疑問を解決する方法は、実際にやってみることしかない。格闘技を好む若者たちにとっては、「どっちが強いか」は永遠の関心の的だ。ルスカでスタートした格闘技戦が、現在のアルティメットやK１ブームの先駆けになったと自負している。

ルスカは強かった。しかし柔道もレスリングも互いに組み合う格闘技である。それもあって、この試合は私にはやりやすかった。プロのリングで闘うということで、ルスカの方がずっとプレッシャーを感じていたと思う。結局、私が勝ったのだが、初の異種格闘技はやる側にとっても見る側にとってもスリリングで、観客の興奮は大変なものだった。

モハメド・アリからは一向に返事が来ないし、挑戦の話はこのまま終わってしまいそうだった。そんなとき、ある日本人が訪ねてきた。

「本気でアリとやる気があるんですか」

「最初から俺は本気ですよ」

「では、交渉に入ってもいいんですね」

この人は、アリと親しいプロモーターのドナルド・ホームズにパイプがあった。もしよければホームズに会わせるというのだ。

私は一人でアメリカへ行き、ホームズに会った。そのときに条件を提示された。

「アリと闘うには一千万ドル必要だ。それでもやる気があるのか？」

「やる気はある。ただ条件については、即答出来ない」

それから本格的な交渉に入った。ホームズは、アリの最大の黒幕であり、ブラック・モスレムのリーダーであるハーバート・モハメッドと懇意にしていた。

アリのファイト・マネーは六百万ドルで合意した。当時、日本円にして十八億である。何もかもスケールが違う世界だった。

新聞は粘り強く交渉を続け、通訳としてケン田島が参加し、テレビ局や新聞も絡《から》んで話は大事になってきた。今なら最初から弁護士を立てればいいのだが、まだその当時はこういう仕事をしてくれる弁護士もあまりいなかった。だから、自分たちで検討しながら契約を進めるしかなかった。

　私としては、決まったらやるだけだ。もちろん妻の美津子には相談した。普通の奥さんなら、そんなことやめなさいというところだろう。金もかかるし、大変なリスクを背負うことになる。しかし彼女は、やるべきだ、と言ってくれた。彼女が生きている日本映画の世界では、なかなか世界に打って出るのが難しい。彼女も私に夢を託したのだと思う。

　ニューヨークのプラザ・ホテルの特別室で、調印式と記者会見を開くことになった。私は羽織袴《はかま》姿。着付けは美津子がしてくれた。

　私がセントラル・パークの横を歩くだけで、カメラが群がってくる。そんな大舞台は私も初めての経験だから、緊張して記者会見に臨んだ。一方、アリは手慣れたものだ。アリが私のアゴを見て「ペリカン」と馬鹿《ばか》にしたのも、あのときが最初だと思う。

　記者たちの質問も厳しいものだった。「世界一強い男を証明したい」などと言っても、そんなものは通用しない。プロレスへの偏見も日本以上に強かった。

　あれは不思議な経験だった。世界の檜《ひのき》舞台に出ているという実感があったし、未知の世界に踏み出す恐怖もあった。必死で見栄を張っている自分を、冷静に見ている自分が同時にいる。そんな奇妙な感じを覚えた。

　ニューヨークだけではなく、全米各地で宣伝のための記者会見ツアーをして歩いた。

あの試合はクローズド・サーキットという興行形態で、各地の映画館などに有料で客を集め、スクリーンで同時中継するのである。

私は勢い込んでトレーニングに入ったが、肩の調子がひどく悪い。力が入らなくて、コップも持てない状態だった。世紀の一戦にこれでは、大恥をかいてしまう。

そんなとき、数寄屋橋のビルのオーナーで佐藤という人が、高橋信次という人を紹介してくれた。大変、効果のある治療をしてくれるという。

藁《わら》にもすがる気持ちで、教えて貰《もら》った事務所を訪ねると「GLA」と書いてあった。

初対面の高橋氏は突然、ギリシャ語だとか古代何とか語を語りはじめたのだ。そして目を開くと、「アリの守護霊は物凄く強い！」と言うのである。

「これは希《まれ》に見る物凄い守護霊だ。猪木さんのも強いが、大変な闘いになります。いいですか、絶対にパンチを食らったらいけません。もしパンチを食らえば一発で目が潰《つぶ》れます」

ちなみに高橋氏は試合の前日に亡《な》くなっている。

高橋氏の治療が効いたのか、肩の調子もよくなって来たので、私はトレーニングに打ち込んだ。基本的なメニューは、スクワットを一分間で大体五十回やってから、縄飛びを三分。それでまたスクワットをやって、縄飛び。それを十ラウンドぐらい続ける。それからスパーリングなどに入って行く。コンディションは上向いて来たが、試合が迫るにつれ、アリへの恐怖がじわじわと襲ってくる。そのときは、俺はこれだけのメニューをこなしたのだから大丈夫だと自分に言い聞かせる。

アリ戦のために新日本の試合も休み、ひたすらトレーニングに明け暮れた。しかし、プレッシャーで食欲がない。梅雨時ということもあって、体調が安定せず、何も食えないのだ。たまたま仙台の三浦というプロモーターが、大蒜《にんにく》の茎の漬物を送ってくれていた。それと若い衆が毎日、築地に通って、新鮮なマグロの中落ちを持ってきてくれる。何とかそれを食べて体力の低下を防いだ。

アリはアリ軍団と呼ばれる取り巻きを連れて来日した。この取り巻きが非常識な連中で、銭湯の女風呂《ぶろ》に入って写真を撮ったり、いろんな事件を起こし、新聞は対応に追われていた。

来日したアリの情報が毎日入って来る。アリが一キロの鉄の輪っかを足にはめて軽く十キロ走った、などという情報が入ると、もう心中穏やかではなくなる。これだけやったのだから大丈夫だと思っているのに、その自信が一遍に崩れてしまう。

ところがその翌日には、いや、アリはびびってジュースを零《こぼ》しながら飲んでいた、と聞く。そうすると、また安心する。ちょっとした情報で気持ちが揺らぐぐらい、要するに怖くてたまらないのである。経験した人にしかわからないかもしれないが、相手がどんな手でくるかわからない異種格闘技戦のストレスは凄いものなのだ。

そんなとき宗教関係の人たちにも助けてもらった。どんな神様でも、手を合わせて祈っていると、その瞬間だけは心が休まった。日蓮宗の権大僧正《ごんのだいそうじょう》は「アリの腕より長いもので戦え」とアドバイスをくれた。

トレーニングで自分が決めたハードルを一つ一つこなして行けば、そのときは精神が安定する。でも人間の心は弱いから、ちょっとしたことで簡単に崩されてしまう。悩みながらも、辿《たど》りついた結論は、やはりトレーニングしかない、ということだった。まるで修行僧のような体験が連日続いていた。

アリも同じ状態だったのだと思う。ボクシングであれば彼はどんな相手でも怖《おそ》れる必要はなかったが、今回の相手はプロレスラーなのだから。

これは試合の後、大分たってからお互いに語り合ったとき、「俺は大変なプレッシャーで苦しかったよ」と私が本音を言うと、「お前もそうだったのか？」とアリが笑った。「あのときは俺もプレッシャーで死にそうだったよ」と。

闘っていたのは私一人ではない。美津子も、新間も一緒に闘っていた。アリ軍団は合法、非合法あらゆる手を使って、新間への揺さぶりをかけていたと聞く。私たちも彼らも、関わった全員が、それぞれの闘いを真剣に、命がけでやっていたのだと思う。

試合の前日の夕方から、ルールの最終確認に入った。ところがその場にアリが出てこないのである。突然新しいルールを突きつけ、これが呑《の》めないなら、アリにキャンセルさせると言い出した。キャンセルする理由としては、指を痛めたことにすればいい、とまで言う。これは、ボクシングがよく使う手だ。私は、一切の条件を呑むか、この試合を中止するかの選択を迫られた。もしやらなければ、私は終わりだ。「ほら、見たことか。猪木の奴《やつ》、いい気になってるからだ。ざまあみろ」という声がそこまで聞こえてくる。

私は新聞に、すべての条件を呑め、と命じた。私には誇りがあった。絶対に勝てる。どんなことをしても勝ってみせる。呑まされたルールは、しかし私にとって苛酷《かこく》なものだった。

アリの頭への攻撃は禁止。
空手チョップは禁止。
頭突き、喉《のど》への攻撃は禁止。
立った状態でのキックは禁止。
肘《ひじ》と膝《ひざ》を使った攻撃は禁止。
ロープに触れた相手を攻撃することは禁止。

これでどうやって闘えばいいのか。ヘッドロックもバックドロップも反則だ。ほとんどすべてのプロレス技は使えないことになる。それでも呑むしかなかったし、後悔はしていない。

試合の当日、私はもうやるだけのことはすべてやったのだ、と自分に言い聞かせた。あとは結果を出せばいい。

新聞は思い詰めた表情で、密《ひそ》かに作らせた鉄板入りのリング・シューズを持ってきた。向こうが汚い手で来るなら、こっちも応戦するしかないと言うのである。新聞の気持ちもよくわかった。

しかし、私は履かなかった。もし履いていれば一撃でアリの足を折っていただろう。だが、それでは後で悔いることになると思った。

ところが後にわかったのだが、アリはグローブの上から石膏《せっこう》を注射し、バンテージを石のように固めていたらしい。高橋氏が言うように、一発で目が潰されるところだった。パンチがかすっただけで、大きな瘤《こぶ》が出来たのだから。

正々堂々などという甘い世界ではなかったのだ。あらゆる知恵をお互いが絞り合い、とにかく相手を倒せばいいという闘いだったのである。

昭和五十一年六月二十六日。日本武道館で「格闘技世界一決定戦」が行われた。メーン・エベントは中継の関係で、午前十一時五十分スタート。

私のセコンドにはカール・ゴッチ、坂口征二、山本小鉄がついてくれた。

ゴングが鳴って、私はコーナーから飛び出し、スライディングしてリングに横たわり、アリの左足を蹴《け》り続けた。あのルールの中では、私は寝て戦うしかなかった。しかし、これはもともと柔術の時代からの基本の一つだったのだ。

昔から柔道対ボクシングの試合が結構行われていたことはご存知だろうか。「柔拳《じゅうけん》」という専門の興行もあり、ユセフ・トルコはその選手だった。

柔道家たちは必死で対策を考えた。拳《こぶし》に対して何が有効か？　ボクシングと打ち合って勝てるわけはない。腕より長いもの……それは足だ。絶対パンチを食わずに闘う方法は、寝ることだけなのだ。寝た状態で足を飛ばす。わかる人にはわかる作戦だったのである。

アメリカにはそういう発想がないから、アリは意表をつかれたと思う。

アリの立場で考えてみれば、一発当てればいい。通常八オンスのグローブで戦っているアリは、当日、四オンスのグローブを塡《は》めていた。それを更に石膏で固めていたのだから。

超一流のヘビー級ボクサーのパンチが、そんなグローブでヒットすれば、間違いなく私は一発でKOされただろう。アリはミサイルを持っているようなものだ。一発、たった一発ですべて終わる。

互いの作戦が全く空回りした。私が寝てしまったということで、彼の作戦が全部狂ってしまったのだ。私は十五ラウンド寝たまま、アリの足を蹴り続けた。

アリの足が赤く腫《は》れてきたのがはっきりわかったし、五ラウンドぐらいから、苦しんでいるのが見えた。足がぐらついている。セコンドのゴッチは「効いている、このまま攻めろ！」と怒鳴った。

だが、アリは倒れなかった。

冷静に考えて、もし立って蹴ることが出来ても、きっと当たらなかったと思う。アリはヘビー級としては驚異的なスピードとフットワークを持つ選手だし、打撃に対する目は鍛え抜かれている。キックボクシングを見てもわかるが、蹴られまいと思って逃げている相手に、有効なキックを与えることは難しい。もし立ってタックルに行けば、それこそ一発食らって終わりだった。だから、アリの一発を封じるにはあれが最高の作戦だったと思う。しかし、ルールで縛られている私は、攻撃が制限されている。

リングに上がるまでの過程は本当に苦しかったが、上がってみると、あっという間に十五ラウンドが終わったという感じだった。まだ一ラウンドある、まだ一ラウンドあると思っているうちに、終わってしまったのだ。

終了のゴングが鳴ったときの心境は、無念の一語に尽きる。私は絶対に勝てると思っていたのだ。と同時に、自分のすべての力を出し切ったという充実感があった。私はリングでアリと抱き合い、健闘を讃《たた》え合った。

結果は引き分けだった。始まるまでは「今世紀最大のスーパー・ファイト」と書き立てられたこの試合も、終わってみれば「世紀の凡戦」と酷評されてしまった。見ている側は当然だと言うかもしれないが、闘った私にとっては、この評価は不本意だった。私はアリと本気で闘い、試合は引き分けたが、勝負には勝ったと思っていたのだから。

六ラウンドに一度だけアリを捕まえて倒し、上になった。そのときに肘を一発入れていれば終わっていたかもしれない。だが、私はあのとき肘を落とさなかった。反則負け覚悟で肘を落とせば観客は満足しただろう。しかし、自分でもわからないのだが、それが出来なかったのだ。

アリを蹴り続けた私の右足は剝離《はくり》骨折していた。日本を離れたアリは、左脚血栓症で一ヶ月入院し、ケン・ノートンとの次の防衛戦を延期してしまった。

一夜明けると、義父が、新聞を全紙買ってきていた。スポーツ新聞でさえプロレスの記事を扱わなくなっていた時代だが、さすがにアリ戦に関しては全部一面だった。それがまた、見事にどれも酷評なのである。

世間は私を笑いものにしている。アントニオ猪木だけではなく、プロレスというジャンルそのものが嘲笑《ちようしよう》されているのだ。私は落ち込んだ。しかし事後処理が山のように残っていて、会社に行かなければいけない。やっとのことで勇気を奮い起こして、家を出た。

痛む足を引きずって大通りに出て、タクシーを拾おうと手を挙げたら、通り過ぎていったタクシーが急停車し、わざわざバックしてきた。運転手が窓を開け、こう言ったのである。

「やあ、猪木さん、昨日はごくろうさん。よかったね、見たよ」

あのとき、その一言がどれだけ私を力付けてくれたろう……。

私がアリ戦で学んだものは大きい。世界のスーパースターであるモハメド・アリという男と闘うことで、これまで体験したことのない世界を覗《のぞ》いたのだ。アントニオ猪木という一人の男にとって、人間形成の上でも大きな出来事だった。しかし、その後にくるツケもまた大きかった。

何よりも、アリの一言がこたえた。

「あの試合はお遊びだったんだよ」

私には全力で闘ったという自負があった。戦った者として、アリと気持ちが通じ合えたと思っていた。それが「お遊び」と切り捨てられたのだ。

どーんと谷底に突き落とされたような感じだった。アリからすれば、私がいくらプロレスで世界チャンピオンでも、それはプロレスの枠の中だけのことだった。私は自分がアリと肩を並べたつもりだったが、アリの方では私のことをまったく認めていなかったのか。

どんな試合であれ、戦った者は対等のはずだ。しかし、その後の扱いは残酷なまでに違う。世界のアリの発言は、あの試合の評価を確定した。いくら私が声を張り上げても、誰も聞いてくれない。

私は悔しかった。アリを恨んだ。新聞たちは、何とかアリをもう一度引っぱり出し、今度こそプロレスの恐ろしさを見せつけてやろう、と動いていた。私はもうどうでもいいと思った。

あのときの悔しさと、アリへの恨みは長くダメージとして残った。アリのことを思い出すたびに私は苦しんだ。

だがあるとき、私はまたアリのことを考えていて、こう思った。

私はアリを三ラウンドで捕まえられると思っていた。ところが十五ラウンド使っても捕まえられなかったではないか。あれだけ蹴ったのに、アリは最後まで立っていた。私が捕まえられなかったのではなく、アリが捕まえさせなかったのだ。私も怖かったが、彼も怖かったろう。それでもアリは逃げずに私を挑発し続け、最後まで闘ったのだ……。

初めてアリを認めることが出来たときに、それまで怨念《おんねん》で波立っていた心が、すっと鎮《しず》まって行くように感じた。私は初めて心の平和が取り戻せた。素直に相手の凄《すご》さを認めることで、ようやくアリを受け入れることが出来たのである。

その後も一流のプロボクサーたちと闘ったけれど、やはりアリはすべての面で違っていた。凄い選手だったと思う。アリと闘った多くの選手の中で、今でも交流があるのは私だけだという。アリもまた、私との試合で何かを得たのだと信じたい。

私が肘を落とせなかったように、アリもまたパンチを放つチャンスが何回かあったのに、出さなかった。いや、出せなかったのだと思う。うまく言えないが、何かの力が働いて、互いに出来なかったのだ。そういうことがギリギリの闘いの中に存在するということを、私は学んだ。

アリと私は親友になった。会えば、言葉を交わす必要はない。会った瞬間に通じ合えるのだから。私のテーマ曲『炎のファイター』はもともとモハメド・アリの評伝映画『アリ・ザ・グレイテスト』のテーマ曲で、アリがプレゼントしてくれたものだ。私の引退試合にアリを呼ぶことになったとき、彼のマネージメント会社は、私たちには理解できない、勝手に二人でやって下さいと言ったそうだ。

今考えれば、あの試合で得たものはとてつもなく大きい。アリと闘ったということで私は世界的な知名度を獲得した。全世界、どこに行ってもモハメド・アリと闘った私は知られている。特にイスラム圏ではそのことが絶大な力を発揮してくれ、政治家だったときの私の武器となった。

私にとっては何ものにも代え難い体験だったのだが、しかし現実は甘くなかった。茶番だ凡戦だと批判されただけでは済まず、新日本プロレスは九億の大借金を抱えてしまったのだ。私の人気も落ち、観客動員も一時は激減。あれだけ大見栄を切り、血の滲《にじ》むような苦労の末に実現させたのに、結果はあまりにも無惨だった。

借金を抱えた新日本プロレスは経営危機に陥った。私は社長から会長職に、新間は営業本部長から平社員に格下げになった。

話は試合当日に戻る。アリと闘い終えてリングを降り、控室まで歩いているとき、どうしようもなく無念の思いがこみ上げて来た。控室に入ったとき、不覚にも涙が流れ落ちた。

そのとき、テレビ朝日（NET）の辻井常務と三浦常務が控室にいた。この二人は社長候補でライバル関係。辻井常務は日本プロレス時代にNETで中継をはじめた人で、営業畑の人だった。三浦常務は元朝日新聞の政治記者で、池田内閣が解散するときに池田首相の寝室に飛び込み、首を締めて特ダネを取ったという豪傑で、当時は編成局にいたと思う。

辻井常務と目が合い、思わず「済みませんでした」という言葉が口をついて出た。別に他意はなかったのだが、それを見ていた三浦常務が機嫌を損ねてしまったのである。何故《なぜ》、あいつにだけ謝って、この俺に謝らないのか、というわけだ。それがいつのまにか、プロレス中継から手を引くという問題にまで発展してしまった。

私は突然、赤坂の料亭に呼びつけられ、三浦常務に頭ごなしに罵倒《ばとう》された。私はびっくりして謝った。しかし、そんなことで嫉妬《しっと》するということは、裏返せばそれだけ私に目をかけてくれているということだ。

結局、三浦常務の提案で、経営危機の新日本プロレスに、NETから三人の役員が派遣されることになった。アリ戦の負債を返済するために、私に出来ることは、世界中の格闘家たちと闘うことだった。そこで異種格闘技路線がスタートすることになる。

異種格闘技戦のときはテレビ朝日は「水曜スペシャル」という特番を組んでくれ、その放映料（たしか一番組六千万円ぐらいだったと思う）で借金を返済して行く方針が決まった。

しかし未知の格闘家と闘うというのは、私にとっては危険な賭《か》けだ。

テネシーで修行していた頃、町の力自慢とリングで闘ったことがある。相手は素人《しろうと》だから技を知らないが、力は私よりずっと強い。馬鹿《ばか》力に振り回されて困惑し、滅茶苦茶《めちゃくちゃ》に殴って倒した。たとえ相手が素人であっても、何をしてくるかわからない相手と闘うのは本当に怖いものなのだ。

アリ戦から半年後、まだ挫折《ざせつ》感の中にいた私に、パキスタン政府から連絡があった。モハメド・アリと闘った猪木を呼びたいという。相手はアクラムというレスラー。そんな奴の名前も知らないし、第一パキスタンがどんなところか想像もつかない。提示して来たギャラもそれほどの額ではなかった。だが、私は行こうと思った。少なくともパキスタンの人たちは、あのアリ戦を評価してくれたのだ。その好意に応《こた》えたかった。私は特に相手の情報を集めなかった。当時の私は自惚《うぬぼ》れていて、自分が世界一強いと思っていたのだ。だから相手が誰であろうが構わなかった。

現地に着いてから、ようやく相手がとんでもない選手だということを知った。私の相手の名はアクラム・ペールワン。「ペールワン」というのはイスラム世界で「最強の男」を意味する称号だという。アクラムは二十年間無敗を誇る地元の英雄で、ルー・テーズにも勝っているというのだ。

しかもアクラムの一族は格闘家の家系なのである。叔父にあたるグレート・ガマという選手は、パキスタンがインドから分離独立する以前に、当時のアメリカ最強のチャンピオンだったズビスコと闘い、まったくレスリングをさせなかったという。

イスラム世界では格闘家は尊敬され、その地位は日本人には想像できないほど高い。アクラムはその格闘家たちの中でも「最強」と呼ばれ、何万人という弟子を持つ、まさに英雄の中の英雄だったのだ。

現地では英語も通じず、お互いにルールの確認も出来ないまま、試合の時間が来てしまった。こっちはプロレス・ルールのつもりだが、相手がどう思っているのかわからない。しかも私のコンディションは最悪だった。パキスタンに行く直前に、私はウィリエム・ルスカと再戦し、首がムチ打ち症のような状態だったのだ。

試合会場はカラチのナショナル・スタジアム。観客はぎっしり入って五万人を超えていた。その上、近くの丘に上ってただで見物しようという人たちが三万人もいた。つまり約八万人の観衆が、アクラムの勇姿を見るために集まっていたのだ。すべての観客は私が負けるのを見に来ているに違いない。私はリングに上がる前に、セコンドの藤原喜明にビンタを入れさせた。場の空気に負けないよう、気合いを入れさせたのである。それほど異様な雰囲気だった。あの八万人の観衆のどよめき――東京ドームのそれとは比較にならない――の凄さは、身震いするほどであった。

ナショナル・スタジアムは本来クリケット場なので、リングから見下ろすと、興奮した観衆の間から土埃《つちぼこり》が立ち上っているのが見えた。リングの周りを、銃を持った軍隊がズラリと取り囲んでいる。

試合がはじまった。

組んでみると、アクラムはそれほど怖い選手ではなかった。ルールの合意がないのだから、ギブアップを取るしかないと思い、私はすぐ関節を取りに行った。ところがアクラムは関節と筋肉が異常に柔らかく、なかなか極《き》められない。

それでも何とか捕まえて腕を極めた。しかし極まっているのに、アクラムはギブアップしない。力を入れて行くと、ようやく「参った」の気配があったので、私は手を放した。ところがアクラムは「参った」していないと言い張るのだ。レフェリーも試合を止めようとしない。

アクラムの表情から、こいつは絶対に負けを認めないということがわかった。つまり、ギブアップだとか、タオルを投げたらTKOで試合が終わるとか、そういう「通常の」試合ではなかったのである。

想像していただけるだろうか？ あれは負けるぐらいなら死ねという世界だったのだ。リングサイドにはアクラムの親族や弟子たちが陣取り、試合を凝視している。アクラムは負けたら、恐らく生きて帰れないのだろう……。

試合が再開された。もう私にも余裕がなかった。私はまたアクラムの関節を取ろうとしたが、うまく摑《つか》めない。ようやく捕まえ、そのまま肩の関節を極めた。アクラムはやはりギブアップしない。

仕方ない。思いきって力を入れると、何かが潰《つぶ》れるような鈍い音がしてアクラムの肩の関節が外れた。それでもレフェリーは止めない。観客は興奮して何やら絶叫している。私はアクラムのバックに回り、顔を締め付けた。プロレスで言うフェイス・ロックだ。地味な技に見えるが、顔面の急所に入れれば、どんな大男でも悲鳴をあげる。

アクラムは苦し紛れに私の手の甲に嚙《か》みついてきた。手を引っ張れば、指が食いちぎられると思ったので、逆にそのまま馬の轡《くつわ》のように締め上げ、空いている手の指をアクラムの目玉に突き刺した……。

何とも、陰惨な試合になってしまった。アクラムは肩と肘《ひじ》、片目を負傷し、私は手から夥《おびただ》しい血を流していた。これ以上やれば本当に殺し合いになる。

結局、アクラムの戦闘不能ということで、ようやくレフェリーが試合を止めた。最強の国民的英雄が、大群衆の前で初めて負けたのである。しかも相手は外国人だ。

スタジアムは騒然となり、殺気立った雰囲気に包まれた。同行していた美津子やスタッフたちは、軍隊に守られてすぐに会場を脱出した。

アクラムの弟子たちが次々に上がって来ては、私を凄い目で睨《にら》む。軍隊の銃口はリングの中に向いている。セコンドの藤原は私が殺されると思ったらしい。

奇妙なことに私はまったく恐怖を感じていなかった。弾よけを買って出た藤原を制し、私は怒り狂う群衆に向かって、静かに両手を差し上げた。

すると、不思議なことが起こった。それまでざわめいて激しく波立っていた群衆の海が、すーっと穏やかになって行ったのである。

静まり返った群衆がじっと私を見ている。と、今度は群衆が歓声を上げた。彼らは私の強さを認めてくれたのだ。カラチの夜空に割れんばかりの拍手と歓声が鳴り響いた。

それ以来、私も「ペールワン」と呼ばれる男になった。イスラム世界に行けば私は「猪木ペールワン」である。

ちなみに、アクラムはあの試合の後遺症が元で、数ヶ月後に病院で死んだ。私の手には未《いま》だにアクラムに噛まれた痕《あと》が残っている。

この話には後日談がある。

試合の翌日、私はホテルで記者会見を行なった。アクラムは入院しているので、彼の一族が代わりに全員顔を出した。アクラムの甥《おい》にあたる少年たちが、テーブル越しに私を睨んでいる。それは怖いほどの視線だった。

それから三年後の昭和五十四年に、私はその中の一人の少年に挑戦され、闘うことになったのである。彼の名はジュベール。一族の汚名をそそぐために命懸けで鍛錬したのだろう。再会したときは立派な体格の青年に成長していた。私は何だか姿三四郎と檜垣《ひがき》源之助の物語を思い出して、複雑な気持ちになった。

ジュベールとはラホールのガダフィ・ホッケー場で闘った。今度は十万人を超える観客が集まった。

この試合もすっきりしないものだった。前座でインド相撲があったので、リングの上には砂が積まれていた。私の試合の前に、それを三十分かけて綺麗《きれい》にしたのだが、リングに上がると足が滑る。ジュベールは裸足だからいいが、靴を履いている私は動きようがない。

その上、彼は全身にオイルを塗っていて、身体《からだ》が摑めないのだ。私は足を滑らせ、リングから二、三回突き落とされた。ジュベールは力もありバランスもよかったが、まだ関節技をよく知らないので、私が負けることはない。アクラムのこともあったし、ジュベールにも少しはいいところを見させてあげよう、などと私は甘いことを考えていた。

ところが、その日は四十年ぶりの猛暑だった。パキスタンの記録的な暑さがどれほどのものか、おわかりになるだろうか。夜になってもスタンドのコンクリートが熱を持ち、下から熱気が上がってくる。リングの上からは、ライトの熱が絶え間なく降り注ぐのである。そろそろ勝負をかけようかと思ったときは、私の体力はもう尽きていた。

そんなわけで互いに決め手がないまま、試合が終わった。私は負けになってもよかった。アクラムのことはずっと後味が悪かったし、ジュベールはその一族だ。私は近代的なルールの中で生きているが、彼らは違う。彼らの生きているのは、負けたら一族が滅びてしまうかもしれないという、恐ろしい世界なのだ。

八百年前に、イスラム世界に凄い格闘家がいた。その名をジュネード・バグダディーという。

あるとき、彼は賞金のかかった試合の前に、相手方の事情を聞いてしまう。相手は経済的に窮地に陥っていて、もし勝てなければ、一家が離散してしまうというのだ。それを知ったバグダディーはその試合に負けたという。

それがイスラムではいまだに美談として残っているのである。八百長《やおちょう》だ何だという次元ではなく、相手に花を持たせるという闘い方が許される場合もあるのではないだろうか。

私はリングの上で、ジュベールの手を挙げた。彼の優勢勝ちでいいではないか。彼は本当に必死に攻めて来たのだから。試合は結局、引き分けだったが、私の心の中にはそんな気持ちがあった。一応、猪木と引き分けたということで、一族の面目も立ったと思う。しかしその後、ジュベールも若くして死んでしまい、アクラムの一族は凋落《ちょうらく》してしまった。

アクラムたちとの闘いで、つくづく世界は広いと実感させられた。体格や技術の差よりも、格闘技に対する考え方がまるで違う世界がある。そのことが私には何より勉強になった。そして、あの闘いを通じて、命のやりとりになったら誰にも負けないという自信を得ることが出来た。今でもその自負は変わっていない。

アリと闘ったことで、私のネーム・バリューは格段に跳ね上がっていた。私と闘えば有名になれるというわけで、プロフェッショナルの格闘家たちが次々に挑戦してきた。アメリカのプロ空手、マーシャルアーツのヘビー級チャンピオンの、ザ・モンスターマンという選手もその一人だった。

彼の蹴《け》りの技術は、ズバ抜けていた。とにかく間合いが測れないのである。リングの端にいると思っていると、次の瞬間に顎《あご》を蹴られているのだから、何が何だかわからない。しかもコンビネーション・キックをマシンガンのように連射して来る。

人間の足があんなに器用に動くとは驚きだ。蹴られていても気持ちがよかった。蹴られたこっちが感心するほど、彼の技は華麗だったのである。

強いのは大前提だが、プロフェッショナルな格闘技はそれだけでは駄目で、どこか芸術的でありたい。技の一つ一つに美しさがあれば、観客を酔わせることが出来る。当時から私はそう考えていたので、モンスターマンとの試合は手応えがあった。今でもモンスターマン戦が、異種格闘技戦のベスト・バウトだと言う人も多いぐらい、あの試合は評判になった。

私は次々と強敵を迎え撃った。マーシャルアーツのランバージャック、ロープで首を吊《つ》ったまま何分でも耐えられるという筋肉男レフトフック・デイトン、『ロッキー』のモデルになったボクシング元世界ランカーのチャック・ウェップナー……。人間というのはタフなもので、試合をこなしていくうちに、いつしか異種格闘技戦にも慣れてきた。打撃専門の選手でも、モハメド・アリより怖い相手はいなかったし、モンスターマンより蹴りが速い選手はいなかった。

異なった格闘技同士が闘うという面白さ、想像を超えた動きを見せる未知の選手たちとの、プロレスとはまた違った緊張感のある試合は好評で、視聴率もよく、新日本プロレスの借金も順調に減って来ていた。

そういえば、ウガンダ共和国のアミン大統領と闘うという計画もあった。

皆冗談だと思っていただろうが、あれは康芳夫という呼び屋が持って来た話で、かなり具体化したのだ。

その頃のアミンは大変な悪役で、今で言えば、イラクのフセイン大統領のような人物だ。アミンは少なくとも八万人以上を虐殺《ぎゃくさつ》している独裁者だった。政敵を殺してその肉を食った〝人食い大統領〟としても悪名高かった。元ボクサーで、軍隊のチャンピオンだったという経歴も持っている。

当時のウガンダは大変な財政難だったから、起死回生のイベントで国を立て直そうという、あれは国家的プロジェクトだったのである。特別レフェリーとしてモハメド・アリの参加も決まった。

普通の感覚なら、そんな荒唐無稽《こうとうむけい》な話に乗るわけがない。だが私は非常識なことを実現することにロマンを感じるタイプの男なのである。スケールが大きければ大きいほど、燃えてくる。アミン戦が成立すれば、これはアリ戦以上の話題になるだろう。

試合の日時も決定していた。ウガンダの首都カンパラの国立競技場から、アメリカNBC・TVのネットワークで全世界に中継することも決まった。

いくら元ボクサーと言っても、私が本気でやれば一分以内にカタがついてしまう。だが相手は人食い大統領だから、勝ったら殺されるかもしれない。どれぐらい手加減すればいいのか……私は真剣に悩んでいた。

ところが、すぐにアミンが失脚してしまった。タンザニアに侵攻したのがきっかけで内戦がはじまり、反アミンの政権が誕生、アミンは国外に逃亡したという。今は何をしているのだろうか。

その後も鎖鎌《くさりがま》の達人と戦う寸前まで行ったこともあった。あの時代は奇想天外な話がたくさん持ち込まれたし、面白がって夢を燃やすことも出来たのだ。それに比べて、今は夢のない時代になったと思う。


異種格闘技戦は若者に評価され、大ブームになった。

その中で新間と梶原一騎との深い交流がはじまった。梶原一騎は力道山と親しく、私も日本プロレス時代から面識はあった。梶原は高名な劇画原作者であると同時に極真カラテの幹部でもあり、格闘技のプロモーターとしても活動していた。彼との縁で、極真の選手だった〝熊《くま》殺し〟ウィリー・ウィリアムスと私の試合が組まれたのである。

ウィリーとの試合は、梶原サイドが仕掛けて新間が乗ったのだと思う。ウィリーは極真カラテの看板を外して来ることになっていた。ウィリーはアメリカ人だし、大山倍達《ますたつ》館長直属の選手ではなかった。そうでなければ、あの試合は成立しなかったろう。

私にはリスクの大きい闘いである。もし私が負ければ、世間はやはり、極真にプロレスが負けたと見るだろう。アントニオ猪木の評価も地に落ちる。逆に私が勝っても、ウィリー個人の闘いだからカラテが負けたのではない、と言い逃れが出来る。

それでも私は受けて立った。血気盛んな頃で、プロレスが馬鹿《ばか》にされていると知ると、猛烈に反発してしまう。それに私はプロだ。試合を期待する声が盛り上がれば、よしやってやろうじゃないか、という気分になってくる。

しかし、アマチュア空手家であるウィリーとの試合は、殺伐としたものになってしまった。リングの周りをカラテ関係者が取り囲み、うちのプロレスラーたちと一触即発の雰囲気だ。

プロ同士の闘いは勝ち負けがすっきりして、かえって遺恨を残さない。アマチュアの方が、実は複雑な背景を抱えていて、ドロドロした結果に終わるものなのである。

試合前から私を殺すの何のと、外野は異常に興奮しているし、試合中も、リングから落ちるとセコンドの蹴りが私に飛んで来る。試合をしているのは、私とウィリーではないのか。残念なことに、あの試合では、リングの中よりも「プロレス対極真カラテ」という、外野の揉《も》め事が注目されてしまった。

ウィリーは体格もよく、迫力のある選手だった。しかし、力は凄《すご》いが、モーションが大きい。彼はモンスターマンのような柔軟性やスピードに欠けていた。力任せに顔面を狙《ねら》って蹴って来てくれたのも助かった。私は打撃系の選手と闘うことに慣れていたし、緊張からなのか、ウィリーはバランスが崩れていて、私には比較的闘いやすい相手だった。

結局、私がウィリーの打撃で肋骨《ろっこつ》を痛め、ウィリーは私の腕十字で靭帯《じんたい》を負傷し、試合は痛み分けとなった。

もしあそこで私がウィリーの腕を折っていたら、それこそ殺し合いになったかもしれない。誤解しないでいただきたいが、手加減したわけではない。私には、自分の勝負とは別な部分で、その場の空気を察知し全体のバランスを見てしまうところが、多分あるのである。

後にウィリーと再会したときに、ウィリーは私の手を握り、「あなたがいたからこそ、今日の自分がある」と言ってくれた。そのときに、あれでよかったのだと確信した。彼もまた、ドロドロしたものを背負わされ、未知の世界で必死に闘っていたのだ。彼の腕を折って勝つことよりも、ウィリーが感謝してくれたことの方が、ずっと大きな勝利だったと思っている。

ともかく、ウィリー戦は何だか厭《いや》な後味の試合になってしまった。これを最後に、異種格闘技戦には一旦《いったん》ピリオドが打たれる。負債もかなり返済出来、私は新日本プロレスの社長に復帰した。

プロレスは他の格闘技を取り込んで商品に出来るという、希有《けう》なジャンルである。だが他の選手の異種格闘技戦を見ると、名勝負と呼ばれるものは少ない。私が特別なのだろう。どんな相手にも対応し、試合を成立させるには、柔軟性と優れたセンスがなければならないのである。

今現在も、小川直也のような体力抜群の若い選手とスパーリングしても、私は負けない。私の方がスタミナがあるわけがないのに、若い選手が先にバテてしまう。しつこく粘っているうちに、相手が負けてくれるのだ。

異種格闘技戦で様々な選手と闘っていくうちに、力の抜き方を覚えたのだと思う。力を抜くことによって、相手のエネルギーを奪うことが出来る。堅い物なら簡単に摑《つか》めるが、蒟蒻《こんにゃく》だと力だけではうまく摑めない。そういうコツのようなもの――専門的に言えば「身体意識」というものが、自然に身についたのである。

だから格闘技の強さとは、身体の大きさや物理的な力だけでは計れないということだ。昔の剣術家や柔術家が持っていた「力」にこそ、本当の強さが秘められているのだ。

力を抜くのは関節技でも有効だ。大抵の選手は腕を取られたら、怖くて力を入れてしまう。それが結局、自分の関節の余裕の範囲を小さくしてしまうのだ。ところが完全に力を抜いてしまえば、相手は逆に極めにくくなる。そこに、必ず逃げるチャンスが生まれてくるのだ。

原理は簡単でも、これを実践するのは難しい。「折られてもいい」と思わなければ、力を抜くことが出来ないからだ。私にはそれが出来る。闘いの中なら、折ることも、折られることもすべて受け入れられる。

異種格闘技戦以降、プロレスも変わった。パンチの打ち方ひとつ取っても、それまでのプロレス流とは違った技術を、私が導入したのだ。足の甲で蹴るキックも、今や世界中のレスラーが当たり前のように使っているが、私以前にはなかった技術なのである。

8

新日本プロレス黄金時代とアントン・ハイセル

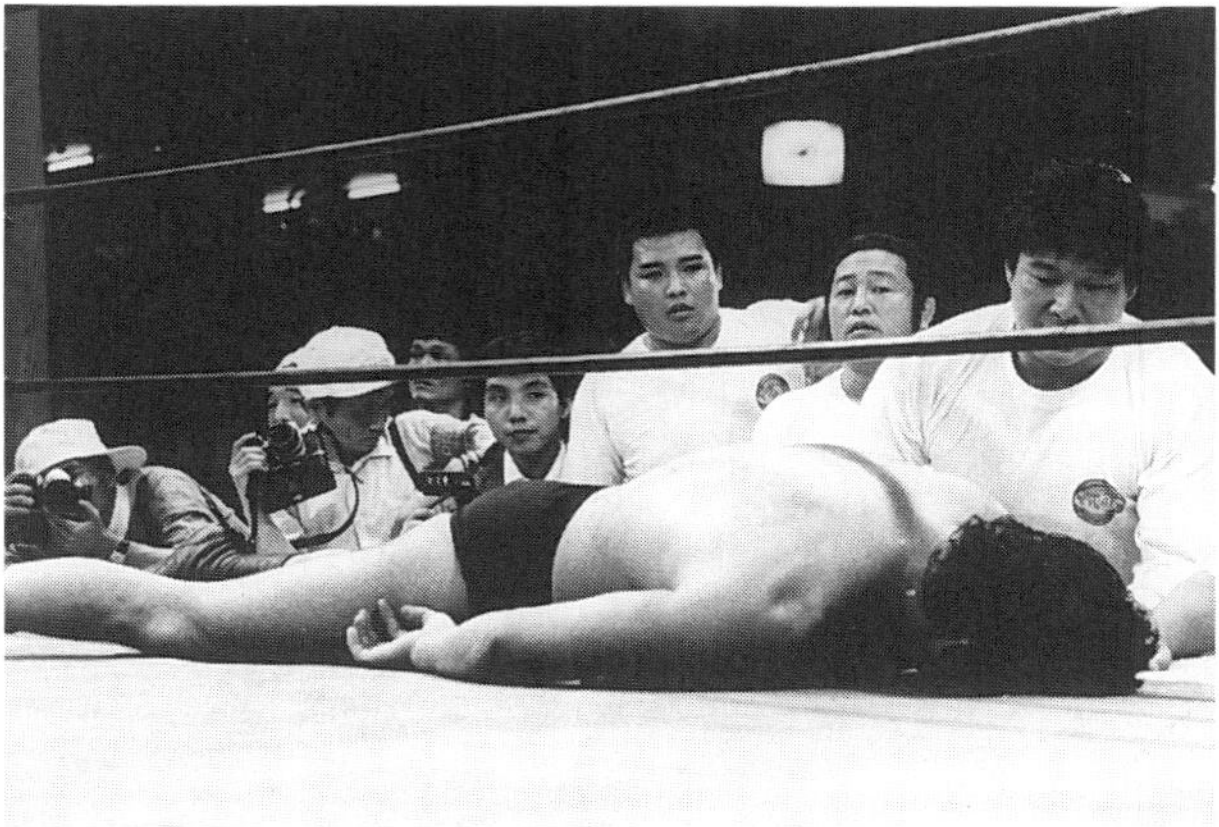

ＩＷＧＰ決勝戦でハルク・ホーガンに失神負け

アントニオ猪木の評価は高まり、プロレスラーとしても世界各地からお呼びがかかった。私は日本の興行の合間を縫っては、様々な国で試合をした。アメリカ、メキシコ、ブラジル、韓国、アラブ首長国連邦、フィリピン……。

西ドイツのプロモーター兼選手であるローランド・ボックに呼ばれ、二十二日間の日程でヨーロッパ六ヶ国で二十試合したこともある。ちょうど十一月で、冬のヨーロッパの侘《わ》びしさを、初めて経験した。連日、ヨーロッパの堅いリングに投げつけられ、私は肩を外してしまった。選手生活では最大の怪我《けが》だった。

日本では、新日本プロレスの興行がブームの波に乗り始めていた。

当時、ニューヨークのマディソン・スクェア・ガーデン（MSG）のチャンピオンだったブルーノ・サンマルチノの首を折ってしまい、プロモーターから追放されたスタン・ハンセンという不器用な選手が、新日本のリングに上がった。その前に全日本プロレスに呼ばれていたが、パッとしないために馘首《くび》になった選手だ。

最初はでかいだけの「でくの坊」という印象だったハンセンは、私と闘ううち、見る見る頭角を現して来た。馬力のみに頼っていた攻撃に、独特のリズムが出てきたのだ。

彼の得意技はウエスタン・ラリアートで、渾身《こんしん》の力で相手の首に前腕を叩《たた》きつけるという、単純明快な技だ。同じ技を繰り返しても、テンポが悪ければ単調でしかないが、勢いが出てくると迫力を生む。迫力も頂点に達すれば、壮絶な美になるのである。

本来、私とハンセンでは好むリズムがまるで違い、嚙《か》み合わないはずなのだ。それが面白いことに、嚙み合わないことで予定調和のリズムが変拍子になってしまい、かつてない面白さが出てきたのだから、わからないものだ。ハンセンは一気にスターダムにのし上がった。力道山時代から、馬力はプロレス最大の魅力である。人間離れした肉体と肉体がぶつかり合う面白さに言葉はいらない。ハンセンはその魅力を見事に表現出来た。

今でも語りぐさになっているが、あの〝大巨人〟アンドレ・ザ・ジャイアントと、スタン・ハンセンが田園コロシアムで闘ったときの迫力は、素晴らしかった。レスラーたちが控室を出て、驚嘆していたのだから。

アンドレ・ザ・ジャイアントは間違いなく天才だったと思う。彼ならどんなスポーツでも一流になれたろう。二メーター二十三センチ二百五十五キロの巨体で、あれだけの動きが出来たのだ。

最初の頃はまだ細かったから、体重を増やそうと飲めない酒を飲みはじめ、それがいつしか孤独を紛らわすための酒になっていった。アンドレはアルコールに溺《おぼ》れてしまったのだ。

彼はまだ若くして死んでしまったが、その死には満開の花が散るような印象があった。美食家だったアンドレは、ワインにもうるさかった。ワイキキのフランス料理屋で、アンドレとワインを痛飲したことは忘れられない……。

ともかく、アンドレにハンセン、そしてハルク・ホーガンが加わり、三つ巴《どもえ》で迫力を競う時代になった。そんな化け物のようなスーパー・ヘビー級と闘わねばならないのだから、私の身体《からだ》はもうボロボロだ。こっちも意地になって、彼らの全力攻撃を受けてみせた。

興行にはスターが必要だ。アントニオ猪木には常に宿敵がいなければならない。タイガー・ジェット・シンのときもそうだったが、私は常に新しい才能を見つけ出し、せっせと磨いてスターにしていく必要があった。私と闘う中で自分の持ち味に気づいたレスラーたちは、皆アメリカでもスターになっている。

日本人選手では、私と坂口征二とストロング小林がトップだった。しかしここでも新たなスターが必要だ。NETの放映が決まった年に入門したアマレスのオリンピック選手の長州力《ちようしゆうりき》（吉田光雄）は、海外修行を経て中堅選手になっていたし、藤波辰爾はニューヨークでジュニア・ヘビー級のチャンピオンになって凱旋《がいせん》していた。

藤波も長州も実力、キャリアともに十分で、ファンも次世代のスターとして認めつつあった。やがて藤波はヘビー級に転向し、長州と激しい闘争を繰り広げることになる。

私は馬場と闘えなかったが、新日本プロレスの中では、日本人同士の闘いも全然ＯＫだ。馬場と言えば、昭和五十四年に東京スポーツの呼びかけで、プロレス界初のオールスター戦が開かれたことがある。新日本、全日本、国際と、全団体が揃《そろ》っての大イベントだった。

メーンは私と馬場が組んで、ジェット・シン、ブッチャー組と闘うというもの。馬場はオールスター戦を厭《いや》がっていたらしいが、お祭り好きの私は喜んで乗った。試合が終わって、私が「馬場さん、次は戦おう」と呼びかけると、馬場は「よし、やろう！」と答えた。

しかし、結局、馬場と私の試合は幻になってしまった。ここまで読んでいただいた方には、おわかりいただけると思うので、その理由は敢《あ》えて書かないが、それでよかったのだと思う。

馬場、猪木個人の確執はともかく、会社同士も熾烈《しれつ》な興行戦争に突入していた。選手の引き抜き合戦もあった。後のことになるが、新日本がブッチャー、ディック・マードックを引き抜けば、全日本はハンセンとジェット・シンを引き抜く。押され気味の全日本には焦《あせ》りがあったろう。

引き抜きの背景にはいろんな要素があるのだが、私からすればこういう面もあると思う。同じ選手との闘いがずっと続いていくと、最後はどちらかが降りることになってしまうのである。例えば、藤波—長州がライバル関係になって、闘いがエスカレートしていけばいくほど、その結果として、どっちかがドーンと落ちるときがくる。

シンもハンセンも、自分の限界を知ったのだろう。もちろん、プロだから金のこともある。しかし自分の肉体にプライドを持ち、私との「過激な」闘いで観客から絶対的な支持を受けていた時代だ。過激になればなるほど自分が厳しいところへ追い込まれていく。エスカレート合戦の果てに、限界を感じたとき、彼らは安住の地を求めたのだ。それが全日本だったのではないか。

それほどに私との試合には厳しさが要求された。生はんかなプロレスではファンも私も絶対に納得しなかった。そんなアントニオ猪木のプロレスを「過激なプロレス」と名付け、観客の立場で理論づけてくれたのが、ベストセラーになった村松友視の『私、プロレスの味方です』だった。

ウィリー戦の翌年だったか、新聞と梶原一騎の交流の中から、劇画のヒーローだったタイガーマスクをリングに登場させるというプランが立ち上がった。新間たちは、混血でスタイル抜群の選手・ジョージ高野を想定していたらしいが、私は若手の佐山聡《さとる》を強く推した。

佐山は小柄だったが、格闘センスが良く、私は高く評価していた。彼は私の前座でキックボクサーと格闘技戦を行い、どうしても相手を摑《つか》みきれずにサンドバッグのように殴られて負けた経験がある。それ以来、ジムに通ってキックボクシングを習い、格闘技にのめりこんでいた。

当時、海外で活躍していた佐山を呼び戻して、タイガーマスクになれというと、彼は相当に反発したらしい。

「冗談じゃありません。そんな漫画みたいなことは出来ない」

ところが、これが大当たりしたのだ。佐山の抜群の運動神経に格闘技のセンスが加わり、シリアスでいて理屈を超えた面白さのある、初代タイガーマスクが誕生したのである。ハンセンやホーガンの人気があり、藤波や長州も台頭してきた上に、タイガーマスクが、薄かった若年層のファンを大幅に取り込んでくれた。新日本プロレスは黄金時代を迎えていたと思う。

ちなみに、新間と梶原一騎の関係はこのあたりまでは良かったのだが、タイガーマスクが登場した翌年、世に言う「アントニオ猪木監禁事件」が起こることになる。

そのとき私は大阪のロイヤルホテルに泊まっていた。夜遅くホテルに戻ると、梶原一騎の若い衆が迎えにきて、自分たちの部屋に来いと凄《すご》む。「新間を預かっている」なんて物騒なことを言うのだ。部屋に行ったら、確かに新間がいる。梶原一騎はテーブルに足をかけて不機嫌そうにしている。その後ろにはヤクザ風の男が立っていて、私を脅かすつもりなのか、仲間に「チャカ持ってこい！」と怒鳴る。事情もよくわからないし、当時の私は「チャカ」が拳銃《けんじゅう》の符丁だということすら知らなかったから、戸惑うばかりだった。

新間と梶原の間に何かのトラブルがあり、いろいろと言いがかりをつけているのだということはよくわかった。新間も大丈夫そうな雰囲気だったので、とにかく私は「帰りますよ」と宣言し、自分の部屋に引き上げた。ホテルの廊下を歩きながら、後ろから襲われるかもしれない、と思ったが、誰も追って来なかった。何だか妙な事件だった……。

あの頃は、「世間はプロレス・ブームと言っているが、そうではない。これは新日本プロレスのブームなんですよ」と新間は豪語していたものだ。国際プロレスが解散し、新日本と全日本の二団体の時代になったが、明らかに新日本の独走状態だった。

しかし、表からは華々しく活躍しているように見えていても、裏では大変な問題を抱え、私は日ましに追いつめられていたのである。

アリ戦の前から、私はアントン・ハイセルという会社を作り、まったく新しい事業をはじめていた。

美津子との間に出来た娘の寛子《ひろこ》が通っていた幼稚園の父兄に、肉屋がいた。彼が私のところに来て、「猪木さんはブラジルにコネをお持ちらしいので、紹介して欲しいという人がいる」と言う。その肉屋の知人の、松岡という人物が現れた。彼は奄美大島出身で、今で言うバイオ技術の研究をしていた。奄美というところは土地が狭い。松岡は小さな土地を有効に利用するため、砂糖キビの絞りカスに目をつけたのである。

砂糖キビの絞りカスの中には、繊維を繋《つな》ぐ役割を持つリグニンという物質がある。木を燃やすと、茶色の脂《あぶら》状のものが出てくる。あれである。砂糖キビから砂糖を作るときに、山のような絞りカスが出る。これを家畜の餌《えさ》にしようとしても、リグニンの層が厚いため消化出来ず、家畜が下痢をしてしまう。その上、土中に放棄すれば土質を悪化させてしまうのだ。

松岡の研究は、リグニンだけを食べる菌を使って、絞りカスを栄養価のある飼料に変えるというものだった。ブラジルはガソリンの代替燃料として砂糖キビからアルコールを作っていたから、絞りカスの処理に苦しんでいた。松岡はビジネス・チャンスと見て、ブラジルに人脈がある私のところに来たのである。話を聞いて、私は強い関心を持った。砂糖キビの廃物をリサイクルし、飼料にして牛を育てる。牛の糞《ふん》は肥料になり、またそれで植物が育っていく。まったく無駄のないサイクルが出来る筈《はず》だ。もしこれが成功すれば、食料問題も解決するのではないか。

ブラジルには牛が人と同じ数だけいる。約一億二、三千万頭だ。ところがブラジルでは肉が不足している。それは何故《なぜ》か？　ブラジルには雨期と乾期がある。例えば雨期に牛を買って、百キロまで太らせたとしよう。ところが乾期に入ると草は枯れてしまい、牛の餌《えさ》が不足してしまうのだ。放牧だから、中には餓死する牛もいる。

次の年、雨期に入り、牧草が出てくるまで一ヶ月を経て、やっと牛は太り出す。それでまた乾期が来る――。こうして一頭の牛が五百キロを超すのに、五年から六年もかかるのである。もし、乾期に砂糖キビの絞りカスを飼料にすれば、それが一気に短縮できる。

ブラジルでの農業体験で、私は堆肥《たいひ》の重要性を身に沁《し》みて感じていた。堆肥が十分になければ、同じ土地での農産物の収穫は漸減して行くことになる。土地の力がどんどん落ちて行くわけだ。この技術で、それにもストップをかけられる。

私は興奮し、この事業に全面的に協力することを約束した。これが地獄の始まりだとは露知らず。

いわゆる事業欲というものは昔から持っていた。それは祖父の影響であり、力道山の影響でもあった。力道山は志半ばで倒れたために大きな成功はしなかったが、彼の事業は、不動産投資を中心とする堅実なビジネス、つまり金儲《もう》けである。

私はそれでは面白くないと思っていた。結局、祖父のロマンティックな生き方の影響の方が強かったのだろう。どうせやるなら、世界中の人たちに貢献できる事業を手がけたいと思っていた。

子供の頃、兄貴たちの買ってくる『リーダーズ・ダイジェスト』を読んで、私は環境問題や人口問題などに興味を持った。世界を救う、なんておこがましいが、そんな大志も抱いていたのだ。

これは笑い話だが、あるとき人口問題を語っていて、地球の人口が五十億になったと言ったら、それがいつのまにか「猪木の借金がついに五十億になった」という噂《うわさ》になってしまったこともある。

日本プロレス時代から、私は小さな事業を始めていた。最初は、自分のブラジル体験をテレビのドキュメンタリーにするというものだった。その話をスポーツニッポンの社長に話したところ、よし自分のところで金を出してやる、心配するなと言ってくれた。

私は安心して計画を実行した。何度もブラジル・ロケに同行し、ロケ中にマットグロッソの森で、ジアララカという毒蛇（ハブの一種）に噛《か》まれて意識不明になったこともある。あのときは空軍のヘリコプターに救助されて何とか助かったが。

ところが五千万以上を投じ、苦労して完成したこの作品が、お蔵入りになってしまったのである。NETが買ってくれる筈だったのに、私が日本プロレスを追放されてしまったから、放映出来なくなってしまったのだ。その上、不運にもスポニチの社長がロケ中に亡《な》くなってしまい、金の約束もそれっきり。

仕方なく東京12チャンネル（テレビ東京）にただ同然で売り、オン・エアはされたが、事業はスタートから赤字を抱えることになってしまった。

ともかく、私は砂糖キビのリサイクル事業に手を出すことになった。私にとってはプロレス以外では初の、本格的な事業である。最初はブラジルの人脈を紹介するだけのつもりだったが、いつの間にか自分が中心になって、アントン・ハイセルという会社を日本とブラジルに設立してしまったのだ。ハイセルを軌道に乗せ、新日本のレスラーたちの引退後の受け皿にするつもりもあった。レスラーは怪我《けが》や事故の危険と隣り合わせの商売だ。将来の生活が保証されていれば、安心して「過激な」闘いに没頭できる。

弟の啓介は、一億円結婚式に参加するため帰国してから、ずっと日本に残っていた。その後、私は追放、旗揚げということになり、啓介も私の仕事を手伝ってくれていた。ちなみに倍賞美津子の弟の鉄夫も新日本に参加し、その後専務取締役になっている。

啓介はポルトガル語が使える。それもあって、新日本プロレスの営業マンだった啓介を、ハイセルの役員に参加させた。私は弟とブラジルに飛び、農務省の役人たちに会ったのだが、交渉は難航した。こちらが本当に純粋な気持ちで、ブラジルの為《ため》になるから、と説得しても、「実現すれば国家事業にします」と言いながら、彼らは金を引き出すことしか考えていない。

あの人に会いなさい、彼に会った方がいい、といろんな人を紹介してくれるのだが、その度に金を取られる。工場を建てると言えば、建設屋に騙《だま》され、機械を設置するときには機械屋に毟《むし》られる。金目当ての連中が群をなしてたかって来るような感じだった。

気づいたときはもう何億という金が出ていってしまったのである。私はそれまでの貯蓄をすべて吐き出し、更に新日本プロレスから前借りをしなければならなかった。

もともとが実験段階のようなものだったのに、それをプラント化するのだから、すべてが試行錯誤である。それでもやっとのことで、サンパウロから北に百九十キロ離れたレーメという村に、五万坪の牧場と工場が完成した。いよいよ始動して実験を開始する。ところが、これが思ったように行かないのである。恐ろしいことに、牛が全然太らないのだ……。

松岡は「ブラジルと日本の気候風土の差だ」とか「雑菌が入ったのだ」などと言う。その度に実験を繰り返すのだが、どうしても成功しない。そのうち、さすがの私もこれはおかしいと思い始めた。

——結局、私は騙されていたようなものだった。松岡の発想はよかったのだが、それを実現させるための技術自体が、稚拙なものだったのである。

しかし、その間も金はどんどん出ていく。ブラジルは想像を絶する超インフレだから、額も半端《はんぱ》ではない。私は金を作ってはブラジルに送金した。

その頃、私はあるテレビに出演し、新日本の興行は一切暴力団が絡《から》んでいない、というようなことを喋《しゃべ》った。それをたまたま見ていた大塚製薬の社長が、私に好印象を持ってくれ、コマーシャルに出演することになった。ハイセル事業で私が火の車だということが週刊誌の記事になった頃で、大塚製薬の社長は私に同情し、「猪木さん、本物の人物を紹介しますよ」と言ってくれた。

紹介してくれたのは林原微生物研究所の社長だった。私は意気込んで出かけ、林原の社長以下、そうそうたる研究者たちの前で、ハイセルのバイオの仕組みを演説したのである。今でも思い出すと顔から火が出るが。

すべてを聞き終えた林原の社長は、私にこう言った。

「お話はわかりました。この程度の技術なら、それほど難しくない。うちならば、すぐに改良できますよ」

正に天の助けだった。そして林原は本当にすぐその技術を完成させてくれたのである。私は松岡と縁を切り、最後の逆転に賭《か》けた。林原の技術援助を受けてからは、何もかも順調に行った。近隣の牧場の牛たちが皆瘦《や》せているのに、私の牛だけはどんどん太る。理想的な堆肥も出来た。ようやく注ぎ込んだ資金が回りはじめるめどが立った。

ところが、ようやく牛の出荷というときになって、信じられないことが起きた。あまりのインフレに追いつめられたブラジル政府が、物価の凍結令と食肉の強制出荷令を発令したのだ。私の牧場の牛は、軍隊によって一頭残らず持って行かれてしまった。

金と手間をかけて育てた牛が、ただ同然で消え、後には五億の借金だけが残った。

私はハイセルと同時に他の事業にも手を出していた。タバスコやマテ茶（ブラジル名産の飲料）、ひまわりの種などを輸入販売するアントン・トレーディングという会社があったが、これも人任せでうまく行かなかった。後にこの会社は一億近い負債を背負うことになる。

「アントン・リブ」というレストランも六本木に開いていた。これは当時まだ珍しかったスペア・リブの専門店で、結構好評でチェーン展開もしていた。ここは儲かっていたのだが、ハイセルの借金で背に腹は代えられず、売り払ってしまった。

アントン・グループなどと称して事業家を気取り、これまで様々な物に手を出してきたが、結局プロレス以外は全滅に近い。はっきり言って、私は金儲けが下手だ。

ブラジルからは連日、金の催促の連絡が入る。それも三千万、五千万という大金である。新日本プロレスは儲かっていたから、前借りをし、それでも足りないのでスポンサー間を走り回り、ハイセルが借りて私が個人保証するという形で金を集める。最初は五億でも、そんなことをやっているうち、あっという間に十億、二十億という借金に膨れ上がってしまった。

人間、悪いことは重なると言うが、あの頃は本当にロクなことがなかった。新日本の経理に手形や小切手を管理させていたのだが、そいつが経理部長の目を盗んで判子をついて、三億円持って逃げてしまった。あのときは、手形がどこに行ったかわからないし、もう新日本も潰《つぶ》れると思い、ヤケクソになってディスコで踊りまくった……。

私は自分らしさを失っていた。金のことしか考えられなくなっていた。考えることは、スポンサーにいい顔して、何とか金をせびろうということ。ある人に会うために丸一日ロビーで待たされたこともある。それでもまた行って、また一日じっと待つのだ。何日も何日も……。

いろんな人が助けてやると言って私に近づいて来たが、その人たちは結局私を利用して自分が儲け、負債を残して去っていく。

取り立てもどんどん厳しくなる。罵倒《ばとう》され、灰皿を振りかざされて、それでも頭を下げるしかない。いくら悔しい思いをしても、自分で始めたことなのだから我慢するしかなかった。

そんなに苦しんでいたのに、友人や知人が援助して欲しいと頼みに来ると、私は金を工面して渡していた。金を貸しても、利息は取らなかった。名目上返済の期限を切っていても、取り立てをしたことはない。だから結局、戻って来ない。そんな金が何億あることか。

振り返ってみると、背伸びして格好つけてるところは、祖父そっくりだ。私には、金に執着することに罪悪感のようなものがある。金は人間を狂わせる。築いてきた信頼関係も失う。「心の貧乏人にだけはなるな」という祖父の教えの影響なのだろうか。

カール・ゴッチが、渡した金を一枚一枚丁寧に数えている姿を見て、何だか幻滅したことがあった。ルー・テーズのそういうところも厭《いや》だった。彼らも厳しい現実を生きているのだから、金にシビアなのはよくわかる。しかし、尊敬していた人の、そんな面を見たくなかったのだ。もちろん、勝手な思い込みだということはよくわかっている。

マスコミも私の借金苦を知って、プロレス人気が高くなるほど、逆に週刊誌のネタとして取材に来る。いくら理想を説いても、記事にはひどいことしか書かれない。そのために決まりかかったコマーシャルが潰れたり、計画していたことが駄目になったりして、かなりのダメージを受けた。どん底から何とか這《は》い上がろうとしても、誰かの手でまた突き落とされる。あの頃は、そんなことの繰り返しだった。

ハイセルには弟の他にもブラジルの兄たちが参加していた。当然、彼らの責任もあったろう。猪木は兄弟に甘すぎるとか、兄弟をさっさと切るべきだとアドバイスしてくれる人もいた。しかし、私は結局切れなかった。ブラジルで多感な時期を共に苦労してきた私たち兄弟の絆《きずな》は、他人が理解できないほど強いのだ。

あるときブラジルへ行ったら、ハイセルの工場の周りに雑草が茂っていた。昔を思い出して、〝エンシャーダ〟はどこにある？　と兄に聞いたら、もうそんなものは置いてないと言う。兄たちは都会の生活に慣れてしまい、あの雑草刈りの苦労を、土の匂《にお》いを忘れてしまっていたのだ。

私は何だか無性に哀《かな》しくなって、「何で兄貴たちは土を忘れちまったんだ？　毎日、皆で苦労して草を刈ったじゃないか！」と怒鳴ってしまった。口惜《くや》しくて涙がポロポロ流れた。兄貴たちも、皆、泣いていた。

私はもうあの頃の私ではないし、兄もあの頃の兄とは違う。それは十分わかっているのだが、いざとなると、どうしてもブラジル時代の兄弟の顔が浮かんで来て、私は何も言えなくなるのだ……。

借金に追われ、ストレスで自分らしさを失い、本当に心から楽しいということが、私の人生からすっぽりと欠落してしまった。

今、あの頃を思い出してみても、いつも暗い顔で座っている自分の姿しか見えてこない。一人だけ教室に残されポツンと机に向かっていた、あの灰色の少年時代と同じ姿だ。大人になってプロレスラーとして成功し、皆に注目される存在になったが、もしかしたら、私の根本はずっと変わっていなかったのかもしれない……。

そんな中で毎日〝燃える闘魂〟としてリングで闘わなければならないのである。控室で、今日こそはいい試合をしてやろう、と気合いを入れて汗をかき、よし、と思ったときに、場内放送が聞こえて来る。

「猪木さん、電話です」

電話を取ると、案の定、手形が落ちていないとか、振り込まれていないという用件だ。せっかくの気合いは一瞬にして萎《しぼ》み、膝《ひざ》の力がガクンと抜けてしまう。落ち込んだ状態で控室に戻り、自分の試合までの時間、じっと座ってあれこれ悩んでいる。周りが何を言っても上の空だ。

しかし、時間が来るとリングに上がらなければならない。うまくしたもので、そのときはスイッチが切り替わるのである。落ち込んでいた反動で、リング上の敵を徹底的にぶちのめす。終わって戻ると、また電話だ――。そんなことが一回や二回ではなかったのだ。

昭和五十七年、スタン・ハンセンが全日本へ引き抜かれた次の年だ。夢中で走り続けているうち、私は三十九歳になっていた。プロレス入りして二十二年。身体《からだ》も相当ガタが来ていた。膝はもう限界で、四月の終わりに私は左膝半月板損傷の手術をした。

その夏、私は韓国に招待された。済州島の名誉市民に選ばれ、大変な歓待を受けた。そこで釣り大会に参加したのだが、あいにくの天気で、雨が大降りになってきた。びしょ濡《ぬ》れでホテルに戻ると、風邪をひいたのか熱が出始めた。ところが、熱が一向に下がらない。だるくて全身の力が抜けてしまったようで、トレーニングをする気にもならなかった。

帰国してからも咳《せき》が止まらないので、新日本のリング・ドクターである富家孝医師に診てもらった。検査してみると、私はひどい糖尿病だったのだ。血糖値は六百近くに達し、いつ死んでもおかしくない、と言われた。私は即刻、慈恵医大に入院させられた。

到底、試合に出られる状態ではない。怪我ではなく、内臓疾患での長期欠場だ。私も、もうプロレスは無理かもしれない、と覚悟した。

ちょうどその時期に、村松友視が直木賞を取った。それまでは観客代表とレスラーという関係だったのが、今や私は重病で入院し、彼は脚光を浴びている。何となくこれまでの関係が逆転したように思えた。

五階の病室でテレビを見ていると、彼がインタビューされている。でもそのとき、私は心の底から「ああ、よかったな」と喜ぶことができたのだ。すっかり落ちぶれ果てた私だが、まだ友人を祝福するぐらいの余裕はある。そう思って少し自分を励ましたりした。

その晩に大きな台風が来た。凄《すご》い嵐だった。殴りつけるような雨が窓を叩《たた》き、下を見るとポリバケツが道路をゴロゴロ転がっている。

それをぼんやり見ていたら、今度はどこからか声が聞こえてきた。激しい嵐の中から、重く低い声が響いてくる。何だかアンドレ・ザ・ジャイアントの声にも似ていた。

アンドレの声が私を嘲笑《あざわら》っている。

「おい猪木、自分の姿を見てみろ。何が〝燃える闘魂〟だ？　格好ばかりつけている嘘《うそ》つき野郎。お前はもう終わりなんだよ……」

私はアンドレの悪魔の声を聞きながら、じっとベッドの上に横たわっていた。新日本プロレスは絶頂期だ。この景気がいつまでも続くと誰もが信じていた。しかし、後に次々と起こる事件の火ダネがもうチロチロと青く燃え始めていたのである……。

医者はインスリンを使うしかないと言う。もしインスリンを注射し続けることになれば、私は引退するしかないだろう。そんな身体でリングに上がるのは、私の美学に反する。

昼間は検査に次ぐ検査。夜は食事を抜かれて、することもない。座して死を待つのは性に合わない。少しでも運命と闘ってやろう。私は夜になると病室を抜け出し、病院の階段を上り下りし始めた。だるくて運動なんか出来る状態ではない。それでも喘《あえ》ぎながら、手すりにしがみついて、一歩一歩階段を上る。少しずつ様子を見ながら、段数を増やして行く。

そのときは会社の経営だとか、借金だとかはもうどうでもよかった。リング上の相手との闘いではなく、自分自身が生きるための闘いだった。美津子も心配して、仕事をキヤンセルし付き添ってくれていた。

副社長だった坂口征二が見舞いに来て、彼からいろいろと実務的な報告を受ける。聞いていると、突然「寝て下さい」と言う。

「何で？」

「いやいや、疲れてるみたいだから、明日にしましょう」

知らないうちに眠ってしまっていたのである。典型的な糖尿病の症状だ。血糖値六百といえば、いつ失明してもおかしくないぐらいだったのだから。

母方が糖尿の家系だった。私にも体質遺伝していたのだろう。倍賞の母が「他の兄弟は元気なのに、何でアントンにだけ糖尿が出るの」と怒っていたのを覚えている。気持ちはわかるが、怒っても仕方ない。

私は毎晩、必死の思いで階段を上り下りした。ゆっくりとだが少しずつ、体力が回復してきているのを感じた。血糖値も下がり始めた。階段の上り下りだけで、正常値に戻ったのである。インスリンは使っていない。医者はこんな患者は見たことがない、これは奇跡だと驚いた。

前にも書いたが、私は自然治癒《ちゆ》力が異常に発達しているらしい。少しぐらいの怪我なら、じっとしていると治ってしまう。それに引き替え、最近の若いレスラーは怪我だらけ。皆、私より先に引退しなければならないような状態だ。これは食生活にも原因があるのではないか。

子供の頃、祖父は、鶴見の「山の家」の裏山に畑を作り、家族で食べるための野菜を育てていた。下肥を使った有機農法である。ブラジルでは野菜が不足したから、雑草を摘んで来ておひたしにして食べたものだ。

ブラジル時代、ジャングルの中で、日系移民が植えた大根が野生化しているのを見つけた。抜いてみると小指ほどの大根がついている。その葉っぱを取ってきて食べた。アクが強くて不味《まず》いのだが、それだけミネラルがあるということだ。翌日は便が鮮やかな緑色になる。

ミネラルは蓄積出来ないが、若い時代にそういうものを摂取していたことが、今に至るまでの回復の早さに繋《つな》がっていると思う。

しかし、いくら回復力が強くても、糖尿は完治することがない。私は退院してからも、食事療法を続けなければならなかった。

食事をコントロールするというのも、我々には難しい。全国を巡業する仕事だし、地方に行けば宴席に呼ばれることも多い。身体が武器であり売り物であるプロレスラーにとっては、体重を減らすことも辛《つら》い。体脂肪を減らしても、筋肉は維持しなければならない。

食事療法だけではなく、あらゆる療法を試してみた。今でも私は、毎朝、冷水の風呂《ふろ》に入っている。水温を4、5度に保つため、夏場は氷を大量に入れる。慣れればどうってことないが、冬の朝、水風呂に飛び込むのは、ちょっと勇気が必要だ。

ともかく、あのとき生きるための闘いに挑み、打ち勝ったことで、私はまたリングに復帰することが出来たのである。

復帰してみると、プロレス人気はますます盛り上がってきていた。タイガーマスクの人気は凄かった。それまでジュニア・ヘビー級のスターだった藤波は、タイガーに嫉妬《しっと》したと思う。藤波はヘビー級に転向することになった。その藤波に、メキシコから帰国した長州力が嚙《か》みつき、互いの意地を張り合う激しい一騎打ちが繰り返された。結果的には、これで藤波と長州、それぞれの可能性が広がり、ふたりはスターとして認知されたのだ。

前にも書いたが、NWAに邪魔されて、新日本プロレスは有名選手を招聘《しょうへい》出来なかった。テレビ朝日の意向でNWAに加盟することになったとき、私はテレビ朝日の役員と一緒にラスベガスに乗り込んだ。そこで私たちは屈辱的な扱いをされた。メンバーではないから会議場に入れないと言うのだ。すべては全日本、馬場の圧力だったのである。

そのNWAの力も、もう落ちはじめていた。ニューヨークの大プロモーターのビンス・マクマホンがNWAを離脱し、新日本はニューヨークのWWWFと組んだのである。

念願だった海外のルートもこれで強化された。

新日本は勢いに乗って、インターナショナル・レスリング・グランプリ（ＩＷＧＰ）というものを提唱した。世界中にあるチャンピオン・ベルトを集めて、誰が一番強いのか決める、というものだ。もちろん、ベルトを統一するなんて実際には不可能である。しかし、そういうアドバルーンを上げることで、何かが動き出す。それが私のやり方だった。

ＩＷＧＰというのは各国のチャンピオンを日本に呼んで一番を決め、それから全世界を回って興行するというスケールの大きなプロジェクトだった。新間も張り切ってイベントを仕掛けていたし、観客の関心も相当大きかった。

ヨーロッパ遠征から前田日明《あきら》が凱旋《がいせん》し、新世代のエースと呼ばれたのもこの頃だ。前田はまだ細かったが、堂々たるヘビー級の体格になれる素材だった。長州も藤波も、ヘビー級としては物足りない。私も次は前田の時代だと見ていた。

病気を抱えた私の力は、さすがに落ちていたと思う。多いときに百十二キロあった体重も一時は九十六キロにまで落ち、食事療法を続けながら百五、六キロに戻した。自分では動きは悪くないと思っていたが、ファンの方は敏感に力の衰えを感じているようだった。

全国でリーグ戦が続き、アメリカ代表としてＩＷＧＰに参加したハルク・ホーガンと私が勝ち残り、決勝を争うことになった。

後にスタローンの『ロッキー3』にも出演したホーガンは、今でこそアメリカ一のスター選手だが、来日した頃は単なる「でくの坊」。見事にビルドアップされた筋肉とは対照的に、物凄く気が小さいのである。私と戦っていくうち、少しずつ人気は上がって来たが、スタン・ハンセンと比較すれば、まだまだの選手だった。

昭和五十八年六月二日。決勝戦の舞台、蔵前国技館は記録的な大入りだった。

ホーガンは寝技が下手で、力任せの攻撃だけが取り柄のレスラーだ。突進しながら直角に曲げた肘《ひじ》を相手の首に叩きつける「アックス・ボンバー」が、彼の決め技だった。私は彼の攻撃を全部受けてみせ、最後にとどめを刺そうと思っていた。それが私流のプロレスだし、実力はこっちが遥《はる》かに上なのだから。

二十分過ぎに、私は技をかけようとしてバランスを崩し、ホーガンとともにリング下に転落した。そのとき私は強く頭を打ってしまった。先にホーガンがリングに戻るのが見えた。後を追ってふらふらとリングに上ると、ホーガンは全力疾走しながらアックス・ボンバーを叩きつけてきた。

私は再び転落し、意識を失った。

それから何がどうなったのか、まるで憶《おぼ》えていない。救急車で東京医科大学病院に運ばれてから、意識を取り戻した。医師の診断は「一過性脳震盪《のうしんとう》」だった。私は試合に負けたことをスタッフから聞かされた。

　無理を言って翌日には退院したのだが、半年以上、後遺症に悩まされることになった。言語障害になってしまったのである。それほどひどいものではなかったが、舌が縺《もつ》れる。だからインタビューを受けたり、テレビの解説をするときは緊張した。今でもまだ、時々縺れることがある。

「猪木、蔵前で倒れる」のニュースは一般の新聞、テレビでも大きく扱われた。皮肉なことに、私が失神KOで負けることで、計らずもプロレスの凄みが世間に伝わったのだ。

　まったくの余談だが、私はこれだけ試合をしていても失神したことがほとんどない。締め技で落とされたことも一回もない。それが一度だけ、メキシコで失神したことがある。

　あれはメキシコに最初に行ったときだ。ホテルの前のアラメダ公園を走っていたら、何だか息苦しい。調子が悪い筈《はず》がないのに、すぐバテてしまう。今考えれば、高地で空気が薄いから当たり前なのだが、私は真剣に悩んで、試合前に呼吸を整えようとした。私はいつも試合前に、独特の呼吸法でコンディションを整える。限界まで息を止めるのである。それを続けていたら、目の前が暗くなって……そのまま落ちてしまったのだ。

　ハッと目を開けると、皆が心配して覗《のぞ》き込んでいた。気絶するまで息を止めるなんて我慢強いにも程がある、と笑われてしまった。

——ともかく、あの試合以降、「猪木を病院送りにした男」ハルク・ホーガンは、世界的なスターになって行ったのである。

一方、負けた私には次々に災難が降りかかってくることになる。

新日本の選手たちによるクーデター事件が起きたのは、あの試合から二ヶ月経《た》った頃だった。


プロレスは大入りが続いているのに、その金はアントン・ハイセルに注ぎ込まれ、ギャラが抑えられている。そういう不満が選手たちの中に鬱積《うっせき》していた。このままでは新日本プロレスまで連鎖倒産に追い込まれる、という噂《うわさ》もあったらしい。

私は新日本を巻き添えにすることなんて考えてもいなかった。ハイセル事業はいつか成功すると確信していたし、責任を問われればいつでも腹を切るつもりだった。

しかし私と新間は、あまりにも突っ走り過ぎていたのだろう。新間の提案で社債を発行し、社員や選手からも金を借りていたのだから、何を言っても言い訳になる。私の耳には選手たちの声は聞こえてこなかった。

私が新間とカナダのカルガリーに行っているときに、タイガーマスクが突然引退声明を出した。彼の人気は正に絶頂だったから、衝撃的ニュースだった。

今でもアメリカへ行くと、プロレス関係者が佐山の名前を出すことがある。タイガーマスクはアメリカでも評判になっていた。タイガーがニューヨークのＭＳＧに出場したとき、一流レスラーたちが皆通路へ出てきて見とれたぐらい、彼の試合のインパクトは凄かった。

私もプロモーターとして、佐山を全世界の子供たちのヒーローにする自信があった。その矢先に引退してしまったのだ。そのことは今でも残念でならない。

引退の直接の原因は、佐山の結婚式を新間が止めようとしたことだった。今売り出し中なのだから結婚はもう少し待てということだ。新間は立場上、選手を商品と割り切るところがあった。それが選手たちの不満を呼び、反発を招いたのだろう。

新間は私に愛情を持ち、ハイセルも含めて私のやることを全面的に支持し、動いてくれていた。私もそれに甘えていたのかもしれない。正直、面倒なことは新間に押しつけていた部分がある。

彼は大きな権限を与えられ、マスコミからは「プロレスの仕掛け人」と持ち上げられていた。端から見れば、スターの猪木がいて、実権は新間が握っているように見えただろう。後に前田が私を批判して「裸の王様」と呼んだことがあったが、そういう部分も確かにあったと認めよう。

当時、佐山には妙なマネージャーがついていた。その男にいろんなことを吹き込まれた佐山は、猪木と新間に強い不信感を抱くようになっていた。佐山も格闘技馬鹿《ばか》で、世間知らずの純粋な男だから、マネージャーしか信じられないという気持ちになったのだ。もちろん、そのマネージャーは佐山を使って稼ぐことしか考えていなかったのだが。

　タイガー引退報道がきっかけで一気に膿《うみ》が噴き出した。佐山が動いたときには、すでに他の連中はクーデターの根回しを終えていたのである。藤波と山本小鉄らが結託し、猪木、坂口、新間を排除して新団体を作る、という計画が動き出した。新団体の成功の鍵《かぎ》はタイガーマスクが握っていた。人気絶頂のタイガーマスクが参加すれば、新団体の価値は跳ね上がる。しかし佐山は彼らとは違う理由で動いたわけで、結局足並みは揃《そろ》わなかった。

　先に帰国した私は、寝耳に水のこの騒動に驚いたが、もう流れは変えられなかった。それで皆が納得するなら、仕方ない。私は彼らの要求を呑《の》むことに決め、後から戻ってきた新間と話し合った。

　結局、私が責任を取って社長を辞任し、坂口も副社長を辞め、新間は謹慎処分ということになった。新間は事実上、新日本プロレスから追放されてしまったのだ。テレビ朝日から役員が出向して来て、新体制で会社を建て直すということになった。

　このドタバタの最大の原因はハイセル事業だった。夢に向かって走るアントニオ猪木にならば、彼らはついて来てくれたかもしれない。しかし、私は借金に追い回されて、もう夢を持てない状態に陥っていた。そのことが彼らに騒動を起こさせた本当の理由なのだと思う。

　私も日本プロレス時代にクーデターに失敗し、追放された過去がある。それが今度は、自分の弟子や腹心の部下たちに造反劇を起こされたのだ。まったく皮肉なことだった。

　あれは社長を辞めた日のことだ。私は長崎に行き、ワシントンホテルに泊まった。今は新日本の役員をやっている永島が、まだ新聞記者で、二階のレストランの座敷で食事しながら彼の取材を受けることになった。遅い午後で、他には客はいなかった。

　私は「社長をやめるなんてどうってことねえや」なんて強がっていたと思う。しかし本音を言えば、やはり寂しかった。

　食事がなかなか出てこないので、座敷にごろんと横になった。ちょうど目の前にガラス窓があって、そのガラス越しにぼんやり空を見ていると、突然、雷雨になった。

　ガラスにぶつかる雨の滴《しずく》が、私の目の位置からは自分の顔に向かって飛んでくるように見えた。一粒一粒、目に刺さってくるようで怖かった。突き刺さるたびに、痛い、と感じた。

　それまでは、私の行動を下の者たちがどう受け取ろうと、そんなことには関心がなかった。社長として、エースとして、借金苦の中を夢中で突っ走って来た。しかし、下の人間の気持ちになってみれば、私の何気ない一言も心に突き刺さることがある……。分かり切ったことだと言われるかもしれない。しかしそのとき、言葉ではなく実感として、私は納得出来たのである。

社長を辞任してから、ようやくそれに気づいたのだった。

それから私は一人でロサンゼルスに行き、しばらく休養した。私が必要とされてないなら、それもいいではないか。正直、疲れていたから、引退することも考えた。

だが興行の世界では、猪木抜きでは商売にならない。

造反した連中も、それぞれがどこか不純な思いを持っていたのだろう。彼らはやがて分裂し、揉《も》め始めた。昭和五十八年十一月、あの騒動からわずか三ヶ月で、私は社長に復帰したのである。坂口も副社長に戻った。新間だけは、その前に退職していた。

クーデターの後、ハイセルは新日本プロレスと完全に切り離された。新日本からの借金を清算するために、私は世田谷の道場を会社に売ることになった。今考えると、これはまったく無駄なことだった。このために巨額の税金が発生し、新たな借金になってしまったのだから。その上、後にこれがスキャンダルの火種になっていくのである。

これはずっと後の話になるが、ハイセルの経営から私は完全に手を引き、事業を弟に任せることになる（借金はすべて私が被《かぶ》った）。軍隊に牛を持って行かれてからのハイセルは、弟の提案で、堆肥《たいひ》作りを事業の中心に据えていた。

現在、ハイセルは堆肥作りに成功し、今ではアガリクスという癌《がん》の特効薬の茸《きのこ》を栽培して、順調に売り上げを伸ばしている。ブラジルの牧場は形が変ってしまったが、沖縄の国頭《くにがみ》郡本部《もとぶ》町に五万坪のアントン牧場を作った。ここにプラントを建て、ハイセルの技術を応用して牛を育て始めた。これが見事に太り、現在は採算ベースに乗り始めている。正直、二十年早すぎたと思う。ハイセルを始めた頃は、バイオという言葉なんて誰も知らなかったのだ。

やり方もまずかったし、いろんな人に迷惑もかけ、金儲《かねもう》けには失敗した。しかし私は後悔していない。ハイセルの技術が世界の役に立つときは必ず来る。人類の抱えている問題は、突き詰めれば「飢餓と戦争」なのだから。

――今はそう思えるが、当時はそれどころではない。ハイセルが原因となった新日本のゴタゴタは、その後まだまだ続くことになる。

9

失意の時　離婚と巌流島

巌流島で行われた
マサ斎藤との決闘

新日本を追われた新間は、新団体ユニバーサル・プロレス（UWF）の旗揚げを準備していた。旗揚げはクーデターの翌年、昭和五十九年の四月だ。新間の狙《ねら》った計画は、新日本から猪木を含めた選手をごっそり引き抜き、フジテレビと組むというものだった。新間にはテレビ朝日に切られた恨みがあったのだろう。

UWFのポスターには、私とタイガーマスク、前田、長州、高田、アンドレ、ホーガンなどの顔写真が入り、真ん中は大きな新間自身の写真で「私はプロレス界に万里の長城を築く」「私は既に数十人のレスラーを確保した」と書いてあった。

旗揚げに参加したのは新日本を離脱した前田日明とラッシャー木村など数人だけだったが、後に高田や藤原、木戸が新日本から合流し、佐山もそこに加わることになる。

このとき私は新間と約束していたのに、裏切ったと言われているらしいが、ここではっきりさせておきたい。そんな事実はない。前田に「先に行け」と指示したこともない。それは前田が一番よくわかっている筈《はず》だ。

「こんなところやめて、新しい団体を作りましょう」なんて話を新間がしていたことはあった。しかし、そんな話は私がプロレス入りしてから、引退した現在に至るまで、いくらでもある。これまでもいろんな人がそういう話を持ってきた。

あのとき、強く否定すればよかったのだろう。放任しておいたことはマズかったと認める。だが、冷静に考えて欲しい。私が自分で作った新日本プロレスを、簡単に捨てられる筈がないではないか。社員たちやその家族の生活もある。私を支持し、新日本を愛してくれたファンもいる。

新間にすれば猪木もクーデターで失脚したのだから、自分が作る団体に来る筈だ、と考えたのだろう。前田たちも「猪木が後で来るから」という新間の言葉に惑わされたのだと思う。

前田は私の引退試合にも来てくれたし、今はわだかまりはないと思うが、ある時期、彼は私に怨念《おんねん》を抱いていたのだ。前田は一本気な男だが、被害者意識が強過ぎる。結局、マスコミは前田を支持し、私は悪者にされてしまった。

これは新間の悪い面が出たケースだったと思う。彼は自分が策士であるということに酔ってしまう。だからすべての行動に疑惑がついて回るし、それが嬉《うれ》しいのである。結局、新間は猪木を担《かつ》ぎ出せなかった責任を取るという名目で、ＵＷＦからも離れて行った。

それとは別なトラブルも続いた。長州力は、私がホーガンにＫＯされる前に、新日本との契約を解除していた。つまりフリーとして新日本のリングに上がっていたのだ。彼はアメリカで戦っていたマサ斎藤やアマレス出身の谷津嘉章、ニューヨークでトップを取ったキラー・カーンなどと「維新軍」を組織した。優等生タイプの藤波に対して、反主流派として自由に暴れ回る長州は、若者たちの熱狂的な支持を得た。

その頃、私は新日本のプロレスをアメリカに輸出しようと思っていた。私の弟子たちなら、世界のどこへ行ってもトップを取れるし、実際取っている。冷え込んだアメリカのマーケットを私の力で盛り上げてやろう。私は長州たちをニューヨークにブッキングし、世界タイトルに挑戦させるつもりだった。

大阪府立体育館でシリーズ最終戦が終わり、そのときにレスラーたちの前で長州のアメリカ遠征のプランを発表した。彼も笑顔で挨拶《あいさつ》していた。

ところがその翌日、長州は記者会見を開き、新日本からの離脱を発表したのである。まったく、あれは突然ジャックナイフで背中を刺されたような気分だった。同時に営業部のナンバー1、ナンバー2も辞め、最終的には十五人もの選手が離脱したのだ。

彼らは、長州力がトップの新団体「ジャパン・プロレス」を創設し、全日本プロレスのリングに上がることになった。

子供の頃のあだ名ではないが、やはり私は鈍感なのだろう。向こうは猛烈に意識し、シグナルを送って来ているのに、こちらはまったく感づかない。彼らの気持ちをきちんと汲《く》み取れなかったことが、あんなことを招いたのだ。

UWF、ジャパン・プロレスと続けざまに二十人以上の人気選手が、ごっそり離脱したわけで、ダメージはあまりにも大きかった。当然、興行も低迷してしまうし、それは視聴率にも響く。

そのときに残った知名度のある選手というと、私と坂口、藤波、木村健悟ぐらいか。後は中堅選手が少しと、若手たちだ。闘魂三銃士たち（橋本真也、武藤敬司、蝶野《ちょうの》正洋）や獣神サンダー・ライガー、パンクラスのエースの船木もその頃はまだ新弟子だった。逃げた選手に未練を残しても仕方ないから、次のスター作りが急務だ。私も彼らに期待した。

だが、そんなに急にスターが出るわけがない。私は四十を過ぎたが、楽が出来るどころか、むしろ前より必死にリングで闘うはめになってしまったのだ。

ゴタゴタが続き、プロレス全体の人気も低下し始めた。この頃はやたらに観客の暴動が起きた。何をやっても当たった時代は過ぎ、仕掛けに失敗して会場のファンを怒らせてしまったのだ。椅子《いす》を壊されたり、火をつけられたりして、その度に使用会場に賠償金を払わされるのだから、馬鹿《ばか》にならない。

全日本との引き抜き合戦も再燃した。そんな中で、全日本のトップだった〝超獣〟ブルーザー・ブロディが新日本のリングに上がることになった。興行的にはこれはヒットになった。

しかし戦ってみると、ブロディもまた、決まったパターンだけにこだわっている「でくの坊」だった。

ブロディは極端に他人を信じない男だった。プライドが高いのはいい。しかし、ブロディはとにかく自分を高く売ることしか考えていないのである。試合直前にキャンセルすると脅してギャラを吊《つ》り上げようとするのだ。あれには本当に泣かされた。

私とは正反対の性格だから、試合も最初は嚙《か》み合わなかった。私のプロレスは相手を認めなければ成立しない。私は思う存分彼に暴れさせ、徹底して攻撃を受けてやった。それは彼を全面的に受け入れ、「殺したければ、私を殺しなさい」と迫ったのである。それはブロディにも伝わったはずだ。水と油だった私たちにも調和する瞬間があったと思う。

六十分フルタイム戦った大阪での試合の後、ブロディが「こんなに満足した試合はなかった」とコメントしていたと聞く。しかし、あの性格は変わらなかった。結局、ブロディは全日本に戻っていき、死ぬまであのワンパターンの試合を続け、後にプエルト・リコで刺し殺された。

その頃、前田たちUWFは佐山の理論を取り入れ、プロレスから見せる要素を排除し、格闘技色を強く打ち出すスタイルで一部の熱狂的なマニアの支持を得ていた。やがて、理由は知らないが、佐山と前田が揉《も》めはじめ、原理主義者の佐山はUWFからもプロレスからも離れ、シューティングという新しい格闘技を創設することになる。

ＵＷＦにはテレビもつかず、あまりにマニアックなため興行も失敗が続き、経営がかなり逼迫《ひっぱく》しているという噂《うわさ》が流れて来た。私は人を介して、何回か彼らと会い、ＵＷＦはフリーの集団として新日本に戻ることになった。これはどちらにもメリットのある提携だったと思う。彼らの加入は大変な話題になり、興行人気も回復した。

理想のプロレスを目指すのはいい。私も自分なりの信念を持って、理想のプロレスを目指してきたつもりだ。日本プロレスを追放され、新日本を作ったときだって、何の保証もなかった。団体やギャラやスポンサーなどの保証を取り付けてから離脱するような、そんな小賢《こざか》しいことはしていない。そのために挫折《ざせつ》しようと、経済的に苦しもうと、自分の信念が揺らいだことは一度もない。

その私から見れば、彼らの信念というものは弱かったのだ。そのことは、藤原喜明に聞いてみればいい。彼は昔から私をずっと見てきたのだし、ＵＷＦでは親分格だったのだから。


借金地獄が始まっても、夫婦の絆《きずな》は強かったと思う。しかし、借金は膨らむ一方で、あまりに苦しい日々が続くうち、私と美津子の関係も変化せざるを得なかった。

金の問題だけではない。借金に苦しむ私には、かつての勢いも魅力もなくなっていたのだろう。美津子は女優だし、そのことを敏感に感じ取って、心が揺れはじめたのだと思う。夫婦喧嘩《げんか》も多くなってきた。

おわかりだと思うが、私はおよそ家庭的な男ではない。また家庭を省みる余裕もない時期だった。プロレス中継の視聴率はじりじり下がるし、離脱や揉め事で会社はピンチだ。自分の借金の取り立ても、連日連夜である。苦しいだけの現実から逃げたくて、家に帰らず遊び歩いていた時期もある。

あれはUWFが戻っていた頃だったか、浮気がバレたことがあった。

あのときは、一時間ぐらい女性の部屋にいて、マンションを出たところで不審な車に気づいた。窓に目隠ししてあり、中でライターの光が動くのが見えた。

直感的に危険を察知し、私は走り出した。すると、カメラマンや記者が数人、追いかけてくるではないか。当時大流行の写真週刊誌だったのだ。

追いつかれて無意識に手を払ったら、カメラが吹っ飛んで壊れてしまった。

「猪木さん、すみません。写真撮らせて下さい」

彼らは私を囲んで泣きついてくる。私もまた馬鹿だから、断ればいいのに撮らせてやったのである。こうして私の浮気は日本中にバレてしまった。言い訳のしようもない。

私は丸坊主になって「男のケジメ」をつけた。あのアンドレから世界ではじめてギブアップを取った試合の写真を見ると、私はくりくり坊主である。

男の勝手な理屈だと言われるかもしれないが、浮気はしても私はまだ美津子に惚《ほ》れていたし、離婚する気など毛頭なかった。彼女は私にとっての理想の女で、惚れていたのは私の方だったのだから。苦労も共にしてきた。今でも新日本プロレスの最大の功労者は倍賞美津子だと思っている。

美津子は社交的で、とても開放的な女だ。一見、強くみえるかもしれない。しかし家庭では静かな生活を好む、ごく普通の女性だった。娘のこともあるし、借金やスキャンダルに巻き込まれるのは耐え難かったろう。

互いの心が離れていくときには、間の悪いことが重なるものだ。あるとき、たまたま外国から知り合いの女の子が私を訪ねて来た。結局、一緒に泊まったのだが、そのとき、美津子は私の帰りを待っていたらしい。雨の中、傘もささずに、マンションの前でずぶ濡《ぬ》れになって……。

彼女は最後の望みを託していたのだと思う。誰だって何かに寄りかかりたいときはある。それが裏切られたことで、夫婦の関係に決定的な亀裂が入ってしまったのだ。今でも、あのときのことは後悔している。

その後、彼女の方も他の男性とのことを記事にされたりして、マスコミは私たち夫婦の離婚は時間の問題だと断定していた。すべての状況は悪くなる一方だった。

私は自殺しようと思った。

借金地獄に家族だけは巻き込みたくなかった。しかし美津子は女優だったし、否応《いやおう》なく巻き込まれてしまうのはわかっていた。借金は、もうどうしようもない額になっていた。一介のプロレスラーがどんなに頑張って稼いでも、絶対に返せない金額だ。私は掛け捨て保険に入ろうと思った。私が死ぬことで解決できるなら、死ねばいい。それが倍賞美津子に対して私に出来る唯一《ゆいいつ》の思いやりであり、最後の愛情だった。彼女を幸せにしてあげられる方法を、それしか思いつけなかった。私も現実の苦しみに疲れ果てていたのである。

離婚は美津子の方が言い出した。

一緒にいることは、もうお互いのためにならない。たしかそんな話だったと思う。正直、私はショックだったが、仕方ないとも思った。これまで苦労を共にし、私のために尽くしてくれた彼女がそれを望んでいるなら、自由にしてやるべきではないか……。

話し合いで別れることは決まったが、娘の問題があった。せめて寛子には、私の口からきちんと伝えたかった。

寛子はちょうど夏休みで、サマー・キャンプに参加するため、ノース・マサチューセッツのハーマンというところへ行っていた。

私は一人でアメリカに出かけた。先にニューヨークで仕事をすませ、隣のニュージャージーから飛行機に乗った。一人で旅するのも久しぶりだ。チェック・インしたとき、自分の荷物がベルト・コンベアで去って行くのを見て、「あ、あの鞄《かばん》は着かないな」と何となく思った。

案の定、バーモントの空港に着くと、荷物はどこかに行ってしまっている。私はそれをいいことに、免許を持ってきていないのに「ライセンスは鞄の中にあるが、鞄が着かないので見せられない」と説明し、レンタカーを借りた。

初めて乗る三菱ミラージュで、私は寛子のキャンプ地までドライブした。知らない道を三時間ぐらいかけて走り、湖の畔《ほとり》のキャンプに着いた。

キャンプは男子禁制の女の園で、私は入れない。入り口の事務所で娘を呼び出してもらって、昼食に出かけることにした。娘は友だちを一人連れて来た。

小さな田舎町だから、大した店もない。私たちはイタリア料理屋に入った。食べながら離婚の話を切り出そうとすると、娘は話をそらしてしまう。キャンプの出来事なんかを嬉しそうに喋《しゃべ》り続け、私はなかなかきっかけが摑《つか》めず、結局、話すことができなかった。寛子もわかっていたのだろう。でも、一番怖《おそ》れていた結論を聞かされるのは、やはり辛《つら》かったのだ。

私たちはキャンプに戻った。寛子はヨットに乗って、湖の反対側に行くという。私は娘とそこで別れた。

何となく去りがたく、私は車を湖の反対側まで回した。

岩の上に座って眺めていると、遠くにヨットの帆が見える。でも、どれが自分の娘のヨットかわからない。娘が小さかった頃、美津子の父が寛子を可愛《かわい》がり、よく幼稚園に迎えに行ってくれた。

いつまで待ってもやってこないヨットを眺めながら、義父の気持ちはこういうものだったのかもしれない、などと思った。私は風に吹かれながら、いろんなことを思い出していた。

車に乗って空港まで戻る途中、眠くなってきた。両側には牧場が広がっている。車を停めて、寝っ転がった。馬鹿みたいに青い空が見えた。吸い込まれそうな空を見ていると、少しだけ心が癒《いや》されるような気がした。

私にとっては印象的な旅だった。

自分の中で離婚の覚悟はできたが、それが公《おおやけ》になることは耐え難かった。表に出なければまだ耐えられても、見せたくない部分を晒《さら》しものにされることが、一番辛い。

だが、いつかはバレてしまうということもわかっていた。その日が近づくにつれ、私は憂鬱《ゆううつ》になっていった。人間は弱いものだ。追いつめられると、どうしても考えることがネガティブになってしまう。心の奥底に、死んでもいいという気持ちがまだあったし、ヤケクソになっていたのかもしれない。どうせ死ぬなら、私らしく、闘って死にたいと思った。

私が巌流島で観客なしの決闘をする、と言い出したとき、ほとんどの人は気が狂ったと思ったのではないか。

観客なし、ギャラもなし。興行のためではなく、闘いたいから闘う。そんな馬鹿な話に乗ってくるプロの選手はいない。だが、マサ斎藤が名乗りを上げたのだ。マサ斎藤とは東京プロレスからの縁がある。彼は何も言わなかったが、苦しんでいた私の思いをわかってくれたのだろう。

当時、UWFとの提携は終わり、今度は長州たちが戻ってきていた。興行は人気絶頂の長州が中心で、新日本プロレスは世代交代の真っ最中だった。テレビ朝日も長州たちをバックアップしていた。しかし私もマサも、まだまだ奴《やつ》らに負けないという気概があった。それにしても私も馬鹿だが、それに乗ってきたマサも大した馬鹿だ。

昭和六十二年十月四日、正式に離婚届けを役所に提出した二日後。

かつて宮本武蔵が佐々木小次郎と対決したというあの巌流島で、私とマサ斎藤は決闘を行なったのである。立会人は山本小鉄と坂口征二だった。

私は風邪をひいて高熱があり、最悪の体調だった。下関から船に乗って渡っていくときに、船頭の森通さんが白い櫂《かい》をプレゼントしてくれた。それを抱いて巌流島に近づいていくと、宮本武蔵の気持ちがわかるような気がした。

何だか無性に泣けてきた。涙が溢《あふ》れだして止まらないのだ。ここに至るまで、私は自分を追いつめてきた。だからそのときは本当に、もう死んでもかまわないと思っていた。こんな命なんて惜しくない。マサに殺されるなら、本望だ。

巌流島の決闘と聞いて、世間はお笑い草だと馬鹿にした。また猪木が馬鹿なことをやっていると笑った。だが、私は大まじめだったのだ。マサも真剣だった。

私は巌流島に上陸し、用意してもらったテントの中で横になった。マサも上陸し、臨戦態勢を整えているようだった。

興行ではなく、自分のための闘いなのだから、何時からはじめても構わない。ところが、スタッフが来ては「マスコミが焦《じ》れてます」「もうそろそろ出て下さい」なんて言うのだ。

別に頼んだわけじゃないんだから、取材したければ勝手にすればいい。テントの外の取材陣は早朝から待機していたし、ヘリが四機も上空を飛び回る異様な騒ぎになっていた。

夕方になってマサが自分のテントを飛び出し、野原にポツンと建っているリングに上がった。私もテントを出た。開始のゴングがあるわけではないから、私がリングに入ったところから、闘いがスタートした。

観客がいないところで試合をしたらどうなるだろう？　そのことは前から考えていた。ある意味で、観客に媚《こ》びを売り、声援をもらうことでプロレスは成立している。だとすれば、それを全《すべ》て捨てたとき、一体どんな試合になるのか。

観客なしで闘うというのは、まったく不思議な体験だった。それでも試合が成立したのだ。理屈の上では、七万人の東京ドームで試合をしていても、観客を意識しなければ二人きりで闘っているのと同じだ。裏返せば、観客が一人もいなくても、七万人いるのと同じなのだ。プロだから逆に、そんな忘我の心境にはなかなかなれないが、追いつめられた果ての巌流島では、それが出来た。

マサは頭を切って血を流し、打撲で胸を痛めた。私も闘いの中で肩の関節が外れ、自分で入れて続行した。試合はリングから野原、またリングと延々と続いた。暗くなってきて、リングの周りに篝火《かがりび》が焚《た》かれた。壮絶な果たし合いが続いた。殴り合い、投げ合い、絞め合いながら、私は何だか楽しかった。

死んでもいいと思っているから、何も怖くない。二時間五分が過ぎたとき、斎藤は泡を吹いて、もう動けなくなった。私もヘトヘトだった。そこで立会人の二人が試合を止めた。

あれはいろんな意味でギリギリの闘いだったと思う。今、振り返ってみれば、いくら純粋な思いで始めたことでも、やはりマスコミが乗ってきたから成立したという面はある。私もマサもプロだから、それを全く意識してないといえば嘘《うそ》になる。世間に対して話題を作れないプロレス界に対し、ショックを与えてやる、という気持ちもあったかもしれない。

だが、闘っているうちに、そんなことはどうでもよくなった。傷だらけだったけれど、終わって満足感があった。何だか、ざまあみろ、と叫びたい気分だった。

マサ斎藤が先日こんなことを言っていた。

「あれがあったから、俺は、プロレスをやってよかったと思える。あの試合は生涯の財産だよ」

あの口下手なマサがモソモソと言ったのだ。

私にとっても意味深い試合だった。自分自身に問いかけ、自分を見つめ直す二時間五分だったのかもしれない。

巌流島の直後、離婚がついにマスコミに知れてしまい、私は追いかけ回されることになる。でも巌流島で離婚のストレスから少し解放されたのか、死のうという気はもうなくなっていた。

巌流島と同じ月の下旬に、もう一つ、私にとって大きな出来事があった。ブラジルの母が死んだのである。

離婚の直後、私はマスコミから逃げ回り、住所不定の生活が続いていた。久しぶりにブラジルに電話してみると、弟が出た。実は今、母が倒れて病院に担《かつ》ぎ込まれたところだと言う。一週間持つかどうかわからないらしい。

こんな仕事だから、すぐにブラジルに行くわけにいかない。じりじりしながら一週間、巡業先から毎日電話していた。こちらは住所不定だから、向こうからは連絡が取れないのだ。

母は入院の三日後に息を吹き返し、病院のベッドで私の来るのを待っているという。両国でやっとシリーズが終わった。翌日にはブラジルに発《た》つつもりで、新宿での打ち上げパーティーに顔を出したとき、母の死の連絡が入ったのである。最悪のタイミングだった。

葬儀を一日遅らせてもらい、私はブラジルへ飛んだ。

母は四人姉妹だった。その一番下の妹、私にとっては叔母が、母の死を知った晩に夢を見た。その夢の中で、母は天女になって、昇天して行ったという。

聞いていて、私もそんな気がした。夫を亡《な》くし、十一人の子供を抱え、ブラジルに渡ってからも苦労し続けた母だ。楽しいことよりも辛いことの方が、ずっと多かったろう。母はもう、この世のすべての苦しみから解放されたのだ。笑顔で旅立っていった、そう信じたかった。

葬式のときも私は泣かなかった。叔母の「姉さんは天女になった」という一言が、いつまでも頭から去らない。母が死んだことは悲しいが、何か祝福したいような気持ちもあったのである。

葬儀の翌日、家族でハイセルの牧場へ行った。牧場の少し手前に車が差しかかったときのことだ。もう夕暮れになって、あたりはかなり暗かった。突然、嵐のように風が吹き荒れ、雹《ひょう》が降りだした。それも子供の拳骨《げんこつ》ぐらいある、見たこともないでっかい雹だ。車はボコボコになってしまうし、危なくて走れない。外へ出るわけにもいかず、私たちはじっと車の中に座っていた。十分ぐらい雹が降り続いただろうか。

翌朝、調べてみても、牧場には雹の被害がまるでなかった。あれは母の別れの挨拶《あいさつ》だったと、私は今でも思っている。

離婚騒動はやがて収まり、私は立ち直ったつもりだった。あれから別の女性とも付き合ったし、もう吹っ切れたんだと周りも思っただろう。

しかし離婚というのは心の深いところに大きなダメージを残すものだ。今考えれば、私は随分長いことその影を引きずっていたと思う。

惚れた女を失うということは、男にとって一番惨《みじ》めなことだ。外ではプロレスの王者でも、一人になると、情けない自分と向き合わなければならない。彼女に宛《あ》てて、出す気のない手紙を書いたりしたこともある。

彼女が他の男と付き合っていることへのジェラシーはあったが、それほど強いものではなかった。誰でもいいから、彼女を幸せにしてくれればいいと思った。

今はもう、彼女が脚光を浴びれば素直に拍手できるし、私に出来ることがあれば協力を惜しまないつもりだ。私たちは男と女というより、魂の友人になったのだと思っている。

先日、娘の寛子がアメリカ人と結婚したので、久しぶりに倍賞美津子と会う機会があった。

「何にも変わってないわね」と彼女に言われたが、どういう意味だろう？

10

後継者ということ そして政治家へ

国会で質問に立つ著者

巌流島の翌年、昭和六十三年の四月に、私は沖縄で左足の甲を骨折してしまった。陸上競技場でランニングしていて、階段で足を踏み違えたとき、鋭い痛みが走った。

怪我《けが》よりも、そんなことで骨が折れたことの方がショックだった。今考えれば、見えないところで体内のバランスが崩れ、骨が脆《もろ》くなっていたのだろう。ずっと体調は悪かった。

私は四十五歳。もう引退してもいい年だ。

この世界に入ってから、いつも「引退」という二文字は頭にあった。真剣に考え始めたのは、アリ戦の後ぐらいからだろうか。

年とともに体力も落ちてくるし、怪我も増え、練習もきつくなる。しかし巨額の負債と、プロレスを巡る環境が、私を引退させてくれなかった。

その頃はもう長州、藤波の二本柱が興行を支えていたし、若い選手も育って来ていた。私にも、引退できる状況が整って来ているように見えた。マスコミは「猪木引退か？」と書き立て、次第に引退ムードが高まった。

足の怪我から復帰した後の八月に、私は横浜で藤波辰爾と試合をした。師匠の私が、

ＩＷＧＰチャンピオンの藤波に挑戦したのである。

私たちは六十分フルタイム闘い、時間切れ引き分けに終わった。ベルトの移動はなく、藤波の防衛だ。

試合が終わって、リングの上で私は藤波と抱き合った。長州も上がって来て、私を肩車した。その数日前に私は長州にフォール負けしている。世代交代が成立したと思われても仕方ない場面だった。

私は引退というより社長を辞めてフリーになって、世界各国に格闘技のネットワークを作るという、以前からの夢を実現したいと思っていた。しかし結局はテレビ朝日や会社の思惑もあり、引退は遠退《の》いてしまう。

試合に至るまでに、藤波と私の間には摩擦があった。藤波は私がいつまでも現役で、彼の上に君臨していることに苛立《いらだ》っていた。私は大きな病気や怪我を抱えていたから、もうそろそろ第一線を退き、自分たちに任せて欲しいという気持ちがあったのだ。私としては逆に、彼らがすべてを託せる存在になってくれさえすれば、いつでも引退してやると思っていた。

どこの会社でもそうだろうが、トップの交代はなかなか難しいものだ。決定的なきっかけがないままに巡業の毎日が続き、お互いの気持ちが次第にずれていったのである。

藤波は体が小さかったから、努力に努力を重ねてトップになった選手だ。私も純粋で真面目《まじめ》な彼には期待したし、彼もそれに応《こた》えてジュニア・ヘビーのチャンピオンとして大活躍してくれた。

プロレス一筋だった藤波が変わっていったのは、結婚してからだろうか。自分のプロダクションを作り、芸能界でタレントとして活動したりし始めた。つまり自分の居場所を広げようと思ったのだろう。

そのことが逆に、リングの上の藤波の魅力を散漫にしてしまったのではないか。俺にはプロレスしかない、という凝縮された世界を持つ長州力の方に、観客は惹《ひ》きつけられて行ったのだ。

正直に言おう。私は藤波を後継者だと考えたことは一度もない。

後継者というには、藤波は私の世代に近すぎた。それは長州も同じである。私はその下の世代が、引き継いでくれることを期待していた。

別な理由もある。日本のプロレスの歴史を振り返ってみればいい。まず力道山がいた。力道山が死に、短い期間だったが別タイプの豊登がトップになった。その後、力道山とも豊登とも全く違う、規格外の身体《からだ》が売り物のジャイアント馬場がスターになり、すぐにアントニオ猪木がのし上がってくる。

力道山は喧嘩《けんか》レスリング、豊登は怪力、馬場は巨体、猪木はオールラウンド。

並べてみればわかるように、あるスターの次に出てくる選手は、前のスターとは異質の魅力を持っている。同じようなタイプが後継者になった前例はない。強いて言えば力道山と私が近いかもしれないが、間に二人挟んでいるし、私は力道山の魅力を拡大しているつもりだ。

だから私の次は、まったく別なタイプか、私を超越するような同タイプということになる。

その点でも、藤波は私に近すぎたのだ。

逆に長州は意識的に猪木から離れようとした。長州はもともとアマレスのオリンピック選手だから、言うまでもなく、レスリング技術は一流だ。ところが彼はパワー・ファイターを目指したのである。ファンが猪木と対比できる、猪木とは違うスタイルのプロレスラーを狙《ねら》ったのだ。

長州が観客によって選ばれたのは当然なのである。そして、その次には、長州とはまた違うタイプで、猪木より身体の大きい前田が台頭してきたのだ。

これは藤波には酷な話かもしれない。藤波はずっと私の付き人だったし、あの性格だから、どうしても私の前ではっきり物が言えない。オリンピック選手の長州は最初からプライドを持ち、付き人経験もないから、意志表示がはっきりしていた。そこがまたファンを惹きつけていく。

ファン心理をどう読み、自分をどうプロデュースしていくか。それはプロレスラーにとって、ある意味で最も重要なことである。藤波と長州では、そこに大きな差があったのだ。

後に長州はプロレスラーからプロモーターへの脱皮にも成功する。自分をプロデュースすることが出来ても、他者のプロデュースはまた別な才能が必要になる。しかし彼が仕掛けた新日本とUWFインターの全面対抗戦は、世間にインパクトを与え、六万七千人の観客を動員し、興行的にも大成功した。あれには私は全く関与していない。

かつては大興行を仕掛けるのは私の仕事だった。失敗すればいつも「猪木さんにはついていけない」と愚痴られる。しかし現状に甘んじず、常に挑戦し続けることで、新日本は発展してきたのだ。長州にはそのことがよくわかっているのだろう。後継者というわけではないが、結局、長州力が、猪木以後の新日本を動かす事実上のトップになったのである。

藤波とのＩＷＧＰ戦の後、私はしばらくアメリカに行っていた。本音を言えば、新日本という小さな会社の中でゴタゴタしたりするのには疲れていたし、もっと大きな世界で自分の力を試したいと思っていた。だが、借金もあるし、そう好きなようには生きられない。

リングに復帰したのは、新日本の台湾遠征のときだった。そのとき、ある新聞記者から興味深い情報を仕入れた。ソビエトのレスリングの選手たちが、プロレスに興味を持っている、というのである。ちょうど、あれはソウル・オリンピックが終わった直後だった。

もうゴルバチョフのペレストロイカが始まっていて、冷戦構造が崩れた時代だ。私はかねがね「スポーツを通じての国際交流」ということを考えていたから、これは面白いと思ったのだ。ドン・キングなんかもソビエトと交渉しているという噂《うわさ》だった。

そういえば昔、ソ連の重量挙げの王者でジャボチンスキーという選手がいた。彼が亡命したがっているという噂を聞いて、亡命させようとしたことがある。プロレスに引っ張ろうと思ったのだ。結局、その話は流れてしまったのだが。

さて、調べてみると、ソビエト側と直接話が出来るという人物が見つかった。これがいろいろ事件を起こした札付きの人物だったので、テレビ朝日は危険だと反対した。そんな冒険をしないで普通にプロレスをやっていろというわけだ。

だが冒険をやめたら、アントニオ猪木ではない。私は「前例がない」とか「不可能」と言われると逆に燃えるタイプなのだ。その人が札付きであろうが何だろうが、持っている情報さえ本物なら問題ないではないか。久々に血が騒いだ私は、役員たちの反対を押し切ってゴー・サインを出した。マサ斎藤、倍賞鉄夫営業部長が先発隊でモスクワに飛んだ。

巡業しながら報告を待っていたのだが、いつまで待っても連絡が来ない。こっちから電話しても繋《つな》がらないし、イライラしていると、やっと電話が来た。何も言わずにすぐに来てくれという。私は「よし、わかった」と返事をし、数日後、モスクワに飛んだ。向こうに行ってみてわかったのだが、当時ソビエトの通信事情は最悪で、なかなか電話が繋がらなかったのだ。

マサ斎藤が向こうの選手たちを集めて基礎的なテストをしただけで、実際は何の話も進んでいなかった。ソビエトの組織がまた複雑で、委員会や連盟が絡《から》み合っていて、どこにどう話を通したらいいのか見当もつかない。

私は情報を集め、一番の実力者と言われている格闘技連盟の局長を口説いた。そのとき、レスラーたちにプロレスの説明をすることになった。ずらりと並んだレスラーたちは、皆オリンピック二連覇とか、世界選手権者とか、凄《すご》い肩書きを持っている。

私はまず、「プロレスとは、選ばれた人間同士が、鍛えに鍛え、闘いを通じて大衆を酔わせ、感動させるスポーツなのだ」と説明し、私流のプロレスの定義である「プロレスの四本の柱」について語った。

まず最初は受け身。プロフェッショナルになれば、毎日試合をしなければいけない。だから、どんな状況においても大きなダメージを受けないために、受け身は絶対必要だ。そしてもう一つ、プロは観客を満足させる義務を背負う。優れた受け身の技術は、相手の技をより美しく見せる。観客は美しい技の攻防に興奮するのである。

二番目に攻撃。力強い攻撃は観客に勇気を与える。ソ連の選手はオリンピックで金メダルを独占するぐらい強いのだから、問題ないだろう。逆に私の方が学ばなければならないかもしれない。しかしプロである以上、相手を怪我させてはいけない。

三番目は感性と表現力。いくらレスリングの技術があっても、それだけでは一流のプロレスラーにはなれない。プロに一番重要なことは、この感性と表現力だ。自分自身の怒りや苦悩、そして感動を観客にどう伝えるのか。それが出来たとき、観客は素晴らしい満足を得る。

そして四番目は信頼ということだ。例えば相手が投げにきた。それを受けるのに、故意に首から落とされたらどうなるか。相手に攻めるチャンスを与えたのに、腕を折られたらどうなる？　鍛え上げたプロだからこそ、ギリギリの線で戦わなければならない。それには相手を信頼することが絶対に必要なのだ。どんなに強くても一人では試合にならないのだから。

「国家の代表として闘うオリンピックなどと違って、プロレスはレスラー個人の闘いだ。この四本の柱を理解すれば、一万人でも二万人でも、大観衆を自分の手の上に乗せることが出来る。お客さんに感動を与えることが出来る。そのときの満足感というものは、例えようもないほど素晴らしい。ハラショーだ！」

そう言い終わると、レスラーたちは一斉にテーブルをダーンと叩《たた》いた。皆、興奮している。彼らは口々に、それこそ自分たちがやりたいものだと言ってくれたのだ。

共産圏の選手たちは、抜群の素質と技術を持っている。しかしオリンピックで優勝しても、その後は年金を貰《もら》って後進の指導に当たるのがせいぜいだ。プロレスへ進めば、もっと大きな可能性がある。世界を舞台に、もう一花咲かせられる。

ややこしい話は抜きにして、日ソ友好のためにも、とにかくやろうと盛り上がった。私は数十人の選手の中から、五人を選んだ。どれも凄い経歴を持つ格闘家たちだった。

ソ連初のプロレスラー誕生は大きな話題になり、舞台はプロレス初の東京ドームに決定した。今では当たり前のようにドームが満員になるが、そのときはプロレス興行でドームを満員にするのは不可能と言われていたものだ。

試合の一ヶ月前に、本契約のため私はモスクワに飛んだ。

ペレストロイカが進み、スポーツ選手の外国との交渉の窓口として新しく出来たのが「SOVインターナショナル」という会社だった。そこの局長と話をしたのだが、まるでビジネスをわかっていない。

「某国に貸し出したサッカー選手の契約金は○億で、アイスホッケーのときは○億で契約した。だからプロレスも○億出さないと本契約出来ない」

その上、興行の売り上げからも取り分が欲しいと言い出した。友好も親善もない。ただひたすら金の話だけである。

あんまり腹が立ったので、私はその場で契約書を破り捨て、ホテルに戻ってしまった。これは駆け引きでも何でもない。

ドームの切符も順調に売れていたから、もしソ連の選手が出なければ大損害だ。私も新日本プロレスも致命的な痛手を受ける上に、信用を失うだろう。しかし、呑《の》めないものは呑めない。私は腹を括《くく》った。

そうしたら、バグダーノフという将軍から連絡が来た。彼は内務省の次官で、モスクワ民警のトップ。柔道連盟の会長でもあり、当時は大変な権力を持つ男だった。その男が私に会いたいという。

私は日本の警視庁に当たる官庁に出向いた。バグダーノフは姿勢がよく、こちらを威圧するような迫力があった。私は開き直っていたから、言いたいことをすべてぶちまけた。

「私もプロモーターだから儲《もう》けたい。しかし、海のものとも山のものともわからない彼らを日本に呼ぶ理由はそれだけではない。普通の日本人は、ソビエトという国に悪い印象を持っている。この機会にソビエトにはこんな凄い人材がいるということを世界にアピールし、新しいソビエトのイメージを作ることに、私は協力しているつもりだ。なのにあなたたちは金のことばかりではないか」

するとバグダーノフは「わかった。全面的にバックアップしよう。私の権限で、選手は行かせよう。興行が成功したときに、金の話をすればいい」と言ってくれた。

バグダーノフは約束を守った。ソビエトの選手はちゃんと来日したのだ。

バグダーノフ自身も直前に日本にやって来た。多忙な彼は試合当日には帰国するというので、試合の前々日に、京王プラザホテルで会うことになった。

モスクワで一緒に食事をしたとき、無理を承知で「軍服が欲しい」と頼んでみると、バグダーノフは困った顔をしながらも、「分かった。君はまだ若いから、大佐にしておこう」と笑った。しかしそのときは私に合うサイズがなく、オーダーで作ることになった。

再会して肩を抱き合った後、「将軍、ようこそ日本へ」と私が言うと、バグダーノフは私に新しい軍服を手渡し、「大佐殿、用意をお願いします」と敬礼してみせた。

バグダーノフはウォッカのガロン瓶を持って来ていた。つまみはロシア名産の豚肉のオイル漬けである。

まだ興行も終わっていないのに、私たちは打ち上げのような気分で飲み始めた。ソ連では、飲まない男は信用されない。グラスに注がれたら、すぐさま一気飲みをしなければならない。バグダーノフは将軍だけあって酒が強かった。こうなったら酒のデスマッチである。

乾杯が続き、約四リッター入るガロン瓶が二本空になった。さすがの私も酔っぱらってしまった。それから軍服のままバーに行って、また死ぬほど飲んで……何とか家に帰ったのは覚えている。

翌日はもうひどい二日酔いだ。あんなにひどい二日酔いの経験はなかった。いや、実は三日酔いだったのだ。試合当日になっても、酒が抜けず、まだ酔っぱらっているような状態だったのだから。

私は東京ドームで異種格闘技戦を行うことになっていた。相手は柔道の金メダリスト、ショータ・チョチョシビリというグルジアの選手である。

そんな状態だったから、リングに上がってもまるで集中力がない。すぐに大量の汗が流れ出て、息が上がってしまった。私は投げられ、絞められ、腕を極《き》められ、最後は猛烈な裏投げでついにKOされてしまった。

異種格闘技戦では初の黒星である。しかし勝負の結果なんて、ある意味ではどうでもよかった。東京ドームは満員になり興行は大成功。ソ連の格闘家たちが初めてプロレスのリングで闘い、日本のファンもソビエトの選手を応援してくれた。負けはしたが私は満足だった。アントニオ猪木らしい夢のあるイベントを、久しぶりにやり遂げた実感があった。

ソビエトの選手たちは、体力も技術も超一流だった。その後も彼らはプロレスのリングに上がったが、結局は大成しなかった。これは当時、事実上のトップだった長州力のコンプレックスが遠因だと思う。

長州がかつて歩んできたアマレスの世界では、ソ連が圧倒的に強かったのだ。だから彼はロシアの選手たちを毛嫌いし、使いたがらなかったのだと思う。私がもし政界に出ていなければ、彼らはプロフェッショナルとして、今も活躍していたかもしれない。

ちなみに、このときに私はソビエト初のプロボクサーを誕生させている。日本のジムに所属して世界チャンピオンになった、グッシー・ナザロフやユーリ・アルバチャコフはそのときの選手たちだ。

チョチョシビリとはその後再戦して、きっちり借りは返した。あれからすぐにソビエト連邦は崩壊し、チョチョシビリはグルジアのスポーツ大臣になった。その後はどういうわけかマフィアの親分になって、今は大変な羽振りだと聞いている。バグダーノフ将軍は武器商人になって、しっかり稼いでいるらしい。

ソ連との交渉を通じ、私は国際交流の重要性を改めて感じていた。交流を深めて行けば、閉塞《へいそく》した状況にもいつか風穴が開き、新しい関係を作ることができるのではないか。ソビエト通でも何でもない素人《しろうと》の私が、直接役人たちと交渉し、世界初のイベントを成功させたのだから。

東京ドームの後、お礼を兼ねて、私はモスクワに行った。次はモスクワで興行をするというプランもあった。

私はバグダーノフや関係者の前で、スポーツを通じてもっと人的交流を深めて行くべきではないか、という提案をした。話は今後の日ソ関係に及び、北方領土をどうすべきか、というようなところにまで広がった。

バグダーノフが、君を大物政治家に会わせようと言い出した。それで、私は民間人なのに、あのクレムリンに招かれたのである。

相手は副首相のカメンツェフだった。

挨拶《あいさつ》が終わると、カメンツェフは「今、あなたが座っている席には、さっきまで大変な人が座っていたんですよ」と言う。名前を聞くと、ドクター・ハマーだった。私も少し、興奮してしまった。

カメンツェフは「遠慮なく何でも話して下さい」と言う。

「実際に来てみるまでは、ソ連の人は、暗くて信用出来ない人たちだと思っていました。しかし会ってみて交流がはじまると、実は明るくて、冗談好きな楽しい人たちだった。私の偏見でした」

私がそう言うと、カメンツェフの顔色が変わり、「私にも言いたいことがある」と言い出した。まずい、怒らせてしまったと思って、こっちは内心蒼《あお》ざめた。

「私は漁業交渉で日本に行ったことがある。交渉の席で私たちが一生懸命話しているのに、日本人はみんな目をつぶって聞かないふりをしているではないか。私は腹を立て、皆に目くばせをした。次に日本側の説明がはじまったとき、私たちは、日本人の態度を真似《まね》して最後まで目をつぶっていた。当然、怒り出すと思っていたのだが、信じられないことが起きた。日本側の代表者たちは立ち上がり、我々に握手を求めて来たのだ。彼らはこう言った。『私たちの話によく耳を傾けてくれた。今までの日ソ交渉の歴史の中で、こんな素晴らしい代表団は初めてです』と」

カメンツェフはニヤリと笑った。

それで一気に打ち解けて、すっかり仲良くなり、いろんな話をした。

クレムリンを出るとき、私は有頂天になっていた。民間人でありながら、クレムリンで歓待されたのだから。

しかし同時に、民間の交流では限界があることもわかっていた。やはり本格的に物事を進めるためには、政治の場に立たなければならないのか……。政治家というポジションを具体的に意識したのは、あのときかもしれない。

私には昔から、政治志向があった。

一番強く影響しているのは、やはり父の存在だろう。最初に書いたように、父は実業家から政治家を目指し、自由党の結党に参加して、衆議院に出るはずだった。母は何も言わなかったが、子供たちの中から父の遺志を継ぐ者が出ることを望んでいたと思う。それともうひとつは、力道山。これも前に書いたが、力道山は引退後に参議院に出るつもりだったのだ。

プロレスの周辺には昔から政治家が多かった。コミッショナーは自民党の副総裁だったし、私も若い頃から、大物政治家たちとの付き合いがあった。

名古屋のプロモーターの紹介で霊感師に占ってもらったことがある。テレビ朝日の三浦専務が一緒だった。当時、彼は独断に近いかたちで、モスクワ・オリンピックの放映権を買ってしまい、それが開催可能かどうかを占ってもらった。私は参議院に出たら勝てるだろうか、と尋ねた。

霊感師は「猪木さん、そんなの簡単です。なろうと思ったらいつでもなれます。そのときが来れば、自然にそうなりますから」と答えた。ちなみに三浦さんへの答えは「難しい」というものだったらしい。

その後、私は世界中を駆け回る体験の中で、異文化の人たちと交流することの難しさと重要性を強く感じるようになってきた。全世界に広がった私の人脈は、日本人としては希《まれ》なものだろう。もし政治家になれば、この人脈を外交の武器として活用できる。

私はいつも世間と闘って来た。馬鹿《ばか》にされているプロレスというジャンルを、世間に認めさせることは、ライフワークかもしれない。世間の冷たい眼差《まなざ》しへの反発が、私のエネルギー源だ。

アントン・ハイセルのときも「なぜプロレスラーが食糧問題にのめり込むのか？」と言われた。環境問題を解決するための事業に出資すれば、「そんなことしないでレスリングだけやってりゃいいんだ」と言われる。インターナショナル・スクールを作ったときも、批判があった。

プロレスラーが堂々と天下国家を論じ、国会議員に挑戦する。それもまた私らしい生き方なのではないか。

私は参議院選挙に立候補することを決めた。いつもそうだが、私は自分の直感を信じて行動してしまう。そのときには勝算も何もない。選挙に勝てるかどうかなんて、やってみなければわからないではないか。

当時、新間は浪人中だった。私と組んで飛ぶ鳥を落とす勢いだった新間も、結局クーデターで新日本を追われ、UWFでも失敗し、マルチ商法の布団屋《ふとん》に出入りしたりしていた。かつての新間を知っている人が見れば、やはり落ちぶれたという印象は拭《ぬぐ》えなかった。

新間が追放されたのも、もとはと言えばハイセルの失敗が原因だった。新間は活躍の場さえ与えれば、十二分に才能を発揮する男だ。私は彼に声をかけた。新間は私が政治に挑戦することに賛成し、私たちは一緒に活動することになった。私は後に、そのことを後悔することになるのだが。

　立候補の前に、モスクワに行く用事があった。出発前、佐川急便の会長をはじめ、何人かの人たちに選挙に出るという挨拶をした。モスクワでは、ゴルバチョフ書記長の側近や、カメンツェフ副首相、バカーチン内務大臣などの大物たちに会い、選挙に出るかもしれないという話をした。彼らは皆、喜んで応援すると言ってくれた。

　ところが、モスクワ滞在中に、東京スポーツが私の参院選出馬をスッパ抜いてしまった。こういうことは発表するタイミングを間違うと、失敗してしまうものだ。私たちが立てた作戦よりずっと早かったので、東京の連中も慌《あわ》てていた。

　私にも整理しなければならない問題があった。政治家が一番怖いのはスキャンダルだ。当時、私は今の女房と同棲《どうせい》していたのである。別に隠し立てするつもりはなかったが、何をどう書かれるかわかったものではない。

　成田空港では大勢のマスコミが待ちかまえていた。私は「明日発表します」と言って、翌日に記者会見を行った。そこで私は急遽《きゅうきょ》結婚の発表をした。出馬会見のはずが、結婚発表になってしまって、記者たちは驚いただろう。

　三人目の妻の尚美《なおみ》とは倍賞美津子と別れた後、ひょんなことで知り合った。

　私は大阪空港で、航空券を買うために一人でカウンターの前に並んでいた。私の前に派手な感じの若い女性が並んでいる。それが尚美だった。

背が高くてスタイルもいいし、向こうも一人のようだったので何気なく、「どこ行くの？」と声をかけてみた。

「東京です」「俺も東京だよ」なんて雑談していると、カウンターの係員が何を勘違いしたか、連れだと思って隣同士の席を用意してしまった。

まだ時間があったからスタンドに一緒に行って、コーヒーをオーダーした。ところが私は細かい金を持ってなかったので、尚美に払ってもらった。いまだに尚美に「最初からコーヒー代まで払わせられた」と文句を言われている。

機内で話をして私は好感を持った。彼女は実務能力に優れていて、学生時代から人材派遣会社で数十人のコンパニオンを動かし、現場を仕切っているという。いかにも仕事が楽しそうで、ちょっと背のびをしている感じだった。

東京に着くと、空港まで若い男が迎えに来ていた。どうやら交際も派手なようだ。私の闘魂は燃え上がった。私はその男の車に一緒に乗せてもらい、事務所まで送ってもらったのである。

会社の電話番号は聞いていたから、その晩さっそく電話して、横浜の中華料理屋に誘った。それから交際が始まり、デートを重ねることになった。

私は離婚して以来、マスコミに追われるのが厭《いや》でホテルを転々とし、そのまま住所不定の生活を続けていた。それまでは代官山のマンションに住んでいたが、離婚ですべての荷物を引き払って何も置いてないし、あそこで生活する気がしない。

当時、私は生活費にも事欠く経済状態だったのだ。試合のギャラや給料は、すべて借金取りが持っていってしまう。相変わらず、毎日手形に追われ、利息を払うので青息吐息だった。

眠るところがなくて、新日本プロレスの社長室で寝たり、車の中で寝たりしたこともある。一度、事務所の長椅子《ながいす》で眠っていたら、朝になって尚美が弁当を届けてくれた。そのとき、出勤してきた事務員の女の子に見つかってしまい、バツの悪い思いをしたことがある。きっと若い女を事務所に連れ込んでいたと思っただろう。

しばらく付き合っているうち、自然に同棲することになった。金もないし、行くところもないから、結局、また代官山のマンションに戻った。家財道具が一切ないので、知り合いのディスカウント・ショップで、テレビと台所用品を買った。尚美は椅子を買ってきた。いい年をして二十二歳も年下の女と『神田川』のような生活をしていたのだ。

それにしても、まったく縁というのは不思議なものだ。尚美は性格的に私と百八十度違うし、女性としても私の理想とは全く違っていた。なのに一緒になったのだから。

金銭に疎《うと》い私とは正反対で、尚美は金銭感覚がしっかりしているし、家庭のことは安心して任せられる。そのことでこの十年、どれだけ助けられたことか。

入籍と同時に立候補し、平成元年の夏、私は選挙戦に突入した。

新日本も私の行動をバックアップしてくれ、長州は「リングは俺たちに任せて、好きなことを思い切りやって下さい」と言ってくれた。

政治評論家や選挙のプロは、準備期間が足りないし組織票もない、その上資金不足だから、猪木は落選するだろうと予想していた。

池上本門寺で力道山の墓参りをしてから、私は最初の街頭演説に飛び出した。

あれが比例代表制での最初の選挙だ。私は自分の政治のテーマを考え、「スポーツ平和党」という名前の政党を作った。スポーツを通じての国際交流と、環境や食糧問題を通じて世界平和を目指す。やりたいことを合わせるとこの名前になったのだ。周りには猛反対され「平和」を外せと言われたが、私は押し切った。

「スポーツ平和党」は私が党首。兄の快守が代表。新聞が選挙本部長兼幹事長に就任した。党首と言うと偉そうだが、何の組織もないミニ政党である。

「国会に卍《まんじ》固め、消費税に延髄斬り」というキャッチ・フレーズも猛反対された。政治を馬鹿にしているというのだ。しかし、私は自分の感性を信じ、それだけを武器にこの選挙戦を闘うと決めていた。金も運動員も豊富な大政党ではないのだ。政治に無関心な大衆が振り向くような面白いことをやらないと、何もアピール出来ないではないか。

関口という参謀はいたが、他には専門家もいなかったし、自分で作戦を立て、好きなように暴れればいい。結果を怖《おそ》れていては何も進まない。

私が考えたポスターは、大きな樹《き》が一本立っていて、その下に子連れの猪《いのしし》が歩いているという図案だった。これは結局、猪木個人をイメージさせるという理由で没になってしまったが。

私の手形のシールを作り、「百万人に握手」作戦も実行した。右手が腫《は》れあがるまで、もう会う人すべてに握手、握手である。とにかく普通の発想では失敗すると思っていた。マスコミは面白がり、連日取材してくれた。選挙のプロから見れば滅茶苦茶《めちゃくちゃ》かもしれないが、大衆にアピールする作戦としては成功したのではないか。

他の候補者は消費税問題を前面に出して闘っていたが、私は、票に結びつかないと言われる外交や平和問題がメインだ。沖縄から北海道まで八千キロを駆けめぐり、百万人という目標は達成出来なかったが、九十万人と握手した。

結果は五十議席中四十八番目でハラハラドキドキの初当選。得票は約百万票である。これは思ったより厳しい数字だった。比例代表の最初の選挙だったから、「スポーツ平和党」ではなく「猪木」と書いた無効票が相当にあったらしい。

当選したことで、事実上プロレスからは引退同然である。国会の仕事があるのに、巡業なんてしていられない。だからこれ以降の六年間、私は十八試合にしか出場していない。

私は四十六歳で参議院議員になり、亡《な》き父と力道山の夢を実現したのだった。初のプロレスラー出身国会議員である。

そして私の議員生活は、予想通りというか予想以上に、波乱に満ちたものになる。

11

猪木外交とイラク人質解放

イラクで邦人人質解放に成功

議員生活がスタートしてすぐ、私は政治家としての洗礼を受けることになった。暴漢に斬《き》りつけられたのである。

私はその日、会津若松で講演していた。ロシア問題がテーマだった。私は演説というのが大の苦手だ。とにかく緊張してしまう。それに政治家になりたてだったから、政治家らしく喋《しゃべ》らないといけないと思い込んでいた。でもそれでは猪木らしさが消えてしまう。そんなことを悩みつつ、自分のロシア体験のことを話していたのである。

その日は、同じイベントに出ていた寺内タケシが、私の演説に合わせて静かにギターを弾いてくれた。それを聞いているうちに心が落ち着いてきて、うまく喋れるようになった。

スポットライトが当てられ、周りがよく見えなかったから、突然頭にガツンという衝撃を感じたときは、何が何だかわからなかった。意識が途切れたのだろう。一瞬、頭が空白になった。意識が戻ると同時に、何かが光ったのが見えた。

私は咄嗟《とっさ》に右手に持っていたマイクを首の左に当てた。その上から、短刀が叩《たた》きつけられ、首をスパッと切られた。

寺内タケシのバンドのメンバーが、犯人の短刀をギターで叩き落とした。犯人はすぐに関係者に取り押さえられた。私はとにかく聴衆にパニックが起きてはいけないと思って、手で傷口を押さえたまま、何分か講演を続けた。痛みはそれほど感じなかったし、それほどの怪我《けが》だと思っていなかったのだ。舞台を下りたが、頭からの出血が止まらない。プロレスで豊富な経験があるから、これは出血多量になると思い、救急車を呼んでもらった。

テーマがロシア問題だけに、暴漢は右翼だと思った。しかし背後関係はなかったようだ。警察の調べでは犯人は精神異常者で、凶器は刃渡り二十センチの短刀だという。相手の名前も身元も警察に聞かなかったから、私はいまだに知らない。

病院で傷を見て驚いた。頭の傷よりも、首の傷がちょうど頸《けい》動脈に沿っている。さすがにゾッとした。もしマイクで防御しなかったら、確実に死んでいただろう。医者には、手で傷を押さえていたのもよかったと褒められた。上着もズボンも絞れるぐらい血が出ていたから、手で止血しなかったら倒れているところだった。

相手は私を殺すつもりだったのである。それもかなり的確に急所を狙《ねら》っていた。本当に単なる異常者だったのだろうか……。

ともかく、私の議員人生はこうして血なまぐさいスタートを切ったのである。

私は外務委員会と外交安保調査会に所属することになった。

一年生議員として活動をはじめてみると、驚かされることばかりだった。外務委員会の議員たちでさえ、外国に行きたがらない。視察に行きたくても経費も出ないのだという。そのくせ彼らは外遊という名の観光旅行なら喜んでするのだが。

日本の外交は完全に官僚主導である。外務省がすべての情報を握り、彼らが実務的な根回しをすべて終え、スケジュールも準備も整えてから、初めて政治家が動く。だから外務省のネットワーク以外の人脈も出来ないし、情報も偏ってしまう。まして、ソビエトやキューバ、アラブ諸国など、今まで交流が少なかった国に対しては、突破口が開けない。

そこで議員が個人で動いて外交活動をしようとすると、今度は外務省が様々な圧力をかけてくる。要するに自分たちだけが外交の専門家で、素人《しろうと》がよけいなことをするな、と言うわけだ。まったく思い上がりも甚だしい。

私は外務省のお膳《ぜん》立てなど待たずに、どんどん現地に行っていた。暴漢に襲われた傷がまだ癒《い》えない頃にも、キューバに飛んだ。何のセッティングもされていなかったが、友人のつてでカストロ首相に会えた。私たちはすぐに意気投合した。

その後、ブラジル大統領の就任式に列席したとき、カストロ本人から招待を受け、キューバが手配してくれた特別機でハバナに寄って会食した。

カストロと酒を酌《く》み交わし、国際問題を中心に様々な話を交わした。カストロという男は、スケールの大きい魅力的な人物だった。最後に娘の文子を亡《な》くしたときの話をしたら、カストロは目を潤ませ、黙って私の肩を抱いてくれた。以来、カストロとは親しくお付き合いさせてもらっている。

外務省の都合のいいように動いていては、何も見えないし何もわからない。役人たちは、言うことを聞かない私のことを、さぞ苦々しく思っていただろう。

いわゆる日本的な外交と違い、私流の外交パフォーマンスは、外国人のウケがよかった。どんな大物だろうが、相手の懐《ふところ》にまっすぐ飛び込んで行って、すぐ友人になってしまう。外務省の高級官僚には嫌われていたが、現地の領事館などに行けば、どこにも必ず私のファンがいて、熱心に協力してくれたものだ。

平成元年の大晦日《みそか》には、モスクワのレーニン運動公園でプロレス興行を開催した。もちろんソ連初のプロレス興行である。しかしもう私にとっては興行自体を成功させることは目的ではない。両国の外交と交流のためのイベントなのだ。

モスクワでは、国会議員になってから初めてプロレスのリングに上った。考えてみれば、日本の国会議員がソ連でプロレスをするというのも凄《すご》いことだ。他の議員たちはどう思っていたのだろうか。

翌年の春に長男の一成が生まれた。待望の男の子だった。一成は母親に似て細いから、プロレスラーにはならないだろう。

私は相変わらず世界を飛び回っていた。息子の生まれた頃はニカラグアにいた。一ヶ月後にまたニカラグアに行き、チャモロ新大統領と会って、約束の野球道具百セットをプレゼントした。

その後はパナマに行った。チャーター機でパナマ運河を見下ろしたときは感無量だった。三十三年前に移民船の中から祖父と眺めた、あの運河である。私は国会議員になり、今、こうしてその上空を飛んでいる……。

当時はノリエガ将軍が米国に連行された後で、親米のエンダラ政権が出来ていた。私はシュバリエル商工大臣と会談し、経済問題を語った。

翌日はコスタリカで、ノーベル平和賞受賞者のアリアス大統領と会談。彼とは環境問題と食糧問題を語り合った。

ブラジルでコロル大統領と会ったときに、アマゾンに国際環境大学を設立しましょうと提案した。今でもその夢は捨てていない。そのときにリオデジャネイロ近くの森林火災で、ライオン・タマリンという猿が絶滅の危機に瀕《ひん》していると聞き、私はすぐに現地を視察した。一度失われてしまった生態系を回復させることは難しい。しかし、少しでも出来ることがあれば、やってみるべきだ。

アマゾンのジャングルには百三十七種類の植物がある。アマゾンは表土が薄く、伐採による河川の氾濫《はんらん》で植林が難しい。私は森を復元し、猿を繁殖させて森に帰すというプロジェクトをスタートした。今でもリオデジャネイロの郊外で、アントン・ハイセルの技術を使った森の復元計画が進んでいる。ライオン・タマリンを絶滅から救えるかどうか、私にとっても勝負である。

息子が生まれた年の夏、私は新日本プロレスの社長を退き会長になった。社長には坂口征二が就任した。プロレスの現場を離れているのだから、当然の人事である。私がプロレス入りしてからちょうど三十年が経《た》っていた。

その頃、兄の知人から、中国でプロレスの興行をやりたいという話が来た。私は若者たちとシルクロードをバイクで走破するというイベントも計画していたから、その記者会見を兼ねて、中国へ渡ることにした。

その直前の八月二日、イラク軍がクウェートに侵攻したのである。私はイラクに行こうと思い、リファイ駐日イラク大使に会った。彼は中国に行くなら、中国のイラク大使に会うといいとアドバイスしてくれた。

数日後に中国行の飛行機に乗ったとき、自民党の金丸信が同乗していると聞いた。私は金丸氏に挨拶《あいさつ》に行った。初対面である。渡部恒三や梶山静六といった大物代議士たちもいた。私は金丸の隣に座って、三十分ぐらい話をした。

イラクに関しては、金丸は武力行使やむなしという判断だった。私は何があっても戦争だけは反対だから、武力行使反対の自説を述べた。しかし、こっちは一年生議員、向こうは日本を動かしている大物政治家だ。話は聞いてくれたが、子供扱いされても仕方ない。

中国では呉学謙という副首相と会見できた。彼は「イラク問題は話し合いで解決すべきだ」と力説した。ちなみに武力行使派だったはずの金丸は中国首脳と会った後、「イラクの問題は話し合いによる解決をすべきである」というコメントを出している。

私は中国のイラク大使とも会った。そのとき、イラクは戦争を望んでいないという感触を得たのである。

九月の初頭に中国黒龍江省人民政府の賛同のもとに、ハルピンで初のプロレス興行を行った。これはチャリティー興行だった。私も七ヶ月ぶりにリングに上ったが、私の心は中国より湾岸危機に向いていた。

国連決議によりイラクは国際社会に包囲網を敷かれ、厳しい経済制裁を受けていた。在留邦人たちを含めて、外国人たちは出国出来ず、事実上の人質にされている。私は何が起こっているのか、自分の目で確かめたかった。外務省の集めた情報だけで判断するのは危険すぎる。しかし、そう思った議員は私一人だけだった。イラクの大使館に問い合わせてみると、日本の政治家は誰一人ビザの申請をしていなかったのだ。

私は正面からビザを申請し、パキスタンの新聞記者カーンと一緒に九月十八日にバグダッドに入った。私はまず、国民議会のサレハ議長に会った。サレハは厳しい表情で三十分間、アメリカと日本の政府を批判する演説をぶった。私は黙って最後まで聞き、見たまま、聞いたままをちゃんと日本に伝えると約束した。

そのときに、前にも書いたが、ジュネード・バグダディーという名の伝説の格闘家の話題になった。バグダディーはイスラム社会では大変な英雄だ。私がバグダディーを尊敬していると述べると、サレハは「私は彼の子孫だ」と言う。たちまち話が盛り上がり、サレハは私に好印象を持ってくれた。

イスラム社会では強い者が尊敬される。格闘家の地位が高いのだ。パキスタンでアクラムに勝ち、パキスタンの国際レスリング委員会から「ペールワン（最強の男）」という称号を授かっていたから、私の名前はイスラム社会では有名だった。それに私はモハメド・アリと闘った男なのだ。

続けて私はフセイン大統領の息子でイラク・スポーツ委員会のウダイ委員長、さらにナンバー2のラマダン第一副首相と会談した。イラクは日本政府に期待している、と私は実感した。

会った翌日、ウダイは私を歓迎するため、バビロン遺跡の側《そば》のイスラム寺院で二頭の羊を生け贄《いにえ》に捧げる儀式を行なった。これはアラブでは最高の歓迎を意味する。それも普通は一頭だけで、二頭というのは、国王クラスが来てもなかなかないことらしい。

在留邦人会も喜んでくれた。大使館もお手上げだったのに、私が来るなり政府要人と会えたことに、皆驚いていた。私は病人などの早期解放が必要な邦人のリストを手渡された。

日本で議論されていることは、多国籍軍に多額の援助をすることや、自衛隊の「派遣」か「派兵」かといった浮き世離れしたことばかりで、現地にいる邦人は追いつめられていた。

私はリストをイラク政府に渡したが、そう簡単に相手が納得してくれるわけはない。彼らも国家存亡の危機であり、自国民を守るために必死なのだ。イラク国民もまた、人質のようなものだった。こっちの要求を押しつけるだけでは、何も解決できない。

日本に戻った私を待っていたのは、マスコミの激しい批判だった。売名行為だとか、政府の足を引っ張る行為だとか、さんざん叩かれた。マスコミも含めて日本人は狂っているのではないかと思った。売名したければ、世論に乗っかって、イラクを攻撃せよと言えばいい。イラクを理解しようという私の行動の、一体どこが売名行為なのか。何故《なぜ》、現地に行った私だけが批判されて、日本で議論ばかりしている議員たちは批判されないのか。

イラクが正しいと言っているのではない。しかしアメリカがかざす正義の旗に、尻尾《しっぽ》を振って付いて行けばいいというのでは、日本はナメられるだけではないか。自分で調べ、考えて判断することのどこが悪いというのか。

政府の方針とは違う行動だということはわかっている。私が自民党の政治家だったら絶対やらなかっただろう。しかし私は政党に束縛されていない参議院議員だった。衆議院に劣等感を持つ参議院議員が沢山いたが、私には理解できない。参議院だからこそ、国民のために自由に行動できるし、そうすべきだと思っていたのである。

私はバグダッドで「平和の祭典」を開催するプランを発表した。すでにイラク政府の賛同は得ていたし、現地の日本企業の協力も約束してもらっていた。

ところが日本で動いてみると、企業の対応が冷たい。外務省が圧力をかけていたのである。外務省は各企業に日本政府の立場を示した通達を出していた。猪木に協力するなという暗黙の命令だ。

官僚たちの常識ではこれで猪木を潰《つぶ》したつもりだったろう。ところが残念ながら、私は彼らの常識なんて全く通用しない非常識な人間だったのだ。最初から企業の援助なんて、期待していなかったのだから。

人質になっている日本人の、夫人たちが、議員会館にやって来た。

彼女たちはもう藁《わら》にもすがる心境だったと思う。政府に掛け合っても駄目、外務省も駄目、御主人の所属している会社も駄目。私の「平和の祭典」という計画に、彼女たちは賛成してくれ、自分たちも行くと言い出した。

夫人たちの中にはアラブ社会で暮らした人が多く、アラブのルールを理解していた。アラブでは、自分で行動を起こさないかぎり何も解決しない。例えば、洋服を注文して、期日になっても出来上がっていないので文句を言うと、「急いでいるなら、何故もっと早く来て、そう言わないのだ」と逆に反論されてしまう。

国も役所も会社も何もしてくれない。だったら自分たちが夫を連れ戻す、と彼女たちは決意していた。それには危険が伴う。彼女たちはそれでも行くと言う。彼女たちの勇気が、私に火をつけた。

一ヶ月後に私は二度目のイラク入りをした。フセイン大統領から「平和の祭典」の開催許可が正式に下りた。私はサレハ議長に、人質の夫人たちにビザを発給して欲しいと頼んだ。

そのときサレハは「彼女たちが面会した後、御主人と一緒に帰れたらいいですね」と言ったのだ。私は人質解放の可能性を感じた。か細いけれど、一筋の光明が見えたようだった。

「平和の祭典」は十二月の二日と三日に開催されることが決定した。私は夫人たちとイラク大使館を訪れた。リファイ大使は、それぞれの夫人に、御主人のパスポート・ナンバーを提出して欲しいと言った。出国の可能性がなければ、そんなものは必要ないはずだ。

しかも彼は別れ際《ぎわ》にこう言ったのである。

「帰りの旅も幸せでありますように」

外務省の対応は相変わらず冷ややかだった。

「訪問家族の安全が保証されるような状況ではない。自らの責任で行動するなら止める立場にないが」などと言う。腹が立ったが、役人なんかと喧嘩《けんか》するだけ時間の無駄だ。イベントの関係者はかなりの数になる。人質の家族だけで四十六人。それにミュージシャンやレスラーやスタッフ。アメリカから参加するメンバーもいる。

私は金丸信と会い、バグダッドまで政府がチャーター機を出してくれるという内諾を得ていた。ところが全日空も日航も、最初は色よい返事だったのに、すぐに断って来た。機種がないので駄目だというのである。本当の理由は想像がつくが。

その前に、私はたまたま来日していたトルコのオザル大統領と、トルコ大使館のパーティで会っていた。

「もし何かあったら協力していただけますか」と頼むと、オザルは「我々はイスラムの同胞だ。喜んで協力するよ」と言ってくれた。

それで私はすぐトルコ航空に頼み、飛行機をチャーターした。飛行機はトルコからわざわざ日本に来て、我々一行を乗せてバグダッドに向かった。我々はバンコク、ドバイを経て、アンマンでイラク航空に乗り換えた。バグダッドに直行すると、チャーター料と同額の保険料を払わねばならないからだ。

イベントの前日にバグダッドに着いて、私は迎賓館に招待され、スポーツ委員会のアリ・トルーキー副委員長と食事をした。大統領クラスでなければ迎賓館など使えない。イラクがいかに「平和の祭典」に期待しているか、ということがわかった。

ロシアや中国でも興行をしてきたスタッフたちだが、戦時態勢下のイラクはまた勝手が違い、準備は大混乱だった。人質の家族との面会の時間もはっきりしないまま、私はレセプション会場に向かった。そこには七人もの閣僚が出席していた。私は演説し、誠心誠意、平和を訴えた。

レセプションが終わって、祭典がスタートする直前、人質と家族の面会が実現したという情報が届いた。私もその場に駆けつけ、喜ぶ彼らの姿を確認した。こうなると、何としてでもイベントを成功させ、人質解放を成し遂げなければならない。

初日のイベント会場はアル・シャープ・スタジアム。三万五千人の観衆が集まり、まずサッカーの試合が行われた。続いて超満員のナショナル・シアターで日・米・仏のミユージシャンが参加してのコンサート。

　ステージで歌うアメリカの女性歌手クリスティーヌは涙を流しながら「サラーム」と訴える。アラビア語で「平和」を意味する言葉だ。コンサートはイラク全土にテレビ中継されていた。

　翌日はサダム・アリーナで空手のトーナメントとプロレスの試合である。私は痛風も出ていたし、正直、それどころではなかったから、出場しなかった。夕方にサレハ議長と会えたが、人質解放は難しいという答えだった。

　会場には人質と家族も同行した。イベントは盛り上がり、大成功に終わった。少なくとも、イラクの国民にこちらから歩み寄り、平和を訴えるという目的は達成されたと思った。

　夜になって、ウダイ委員長と会った。歌手のクリスティーヌと、現地日本人会の野崎さんが同行した。私は約束通り「平和の祭典」を成功させたことを伝えた。ウダイは私たちの話を黙って聞いているだけだ。人質解放の具体的な感触はない。私たちは翌四日にチャーター機でバグダッドを離れる予定だった。もう時間がない。

　別れ際、野崎さんがウダイに「猪木はこれだけのことをした。あなたたちには彼の気持ちがわかっている筈《はず》だ」と強い調子で訴えた。

　ウダイは私たちをじっと見つめて、「大統領に手紙を書きなさい」と言った。「手紙ではなく直接、大統領に会いたい」と頼んだが、断られた。

日本大使館主催のパーティに出席した後、私は深夜、ホテルに戻った。ホテルには、大統領の秘書兼通訳が手紙を受け取りに来ていた。私は慌《あわ》てて、一回目の訪問にも同行してくれたパキスタンの記者カーンに協力を頼み、朝四時までかかって手紙を書いた。「平和の祭典」の意義と人質解放を訴える内容である。大統領の秘書は待っていてくれただけではなく、いろいろアドバイスをしてくれた。

手紙を渡したものの、飛行機は午前十一時に飛び立つ予定だ。人質の夫人たちは、ほとんどが解放されるまでは帰国しない決意だった。空港まで行ったのだが、野崎さんやアリ・トルーキーと話し合い、私はやはり残ることにした。

イベント関係者と数人の夫人を乗せて、飛行機は飛び立った。日本から同行したマスコミは「夫人たちの勇気ある行動で感動の解放」というシナリオを勝手に思い描いていたようだ。それが思惑通り行かなかったので、私に喰ってかかるような馬鹿《ばか》までいた。

ともかく待つしかない。ああいう状況で待つのは、精神的に辛《つら》いものだ。イラク入りしてから痛風も悪化していたので、私はホテルに籠《こ》もっていた。

翌日、平和友好連帯協会のサルマン議長の要請で、夫人たちとの会見が行われた。会場はピースキャンプ。サルマンは風呂《ふろ》から上がったばかりのようで、汗を拭《ふ》きながら現れた。

その場でサルマンは人質解放について前向きな発言を頻発した。夫人たちはもう期待で胸がいっぱいになっている。これでもし解放されなかったら……と私は心配になった。

その後に、夫人たちは急遽《きゅうきょ》ウダイと会見することになった。夜になってウダイが夫人たちに直接、人質帰国の許可を出したという情報が届いた。私だけがホテルで待機して欲しいと言われた。これで希望が出てきた。

やっと人質たちは自由の身になったのだ！　私はホテルの部屋で一人右手を振り上げ、いつものガッツ・ポーズを決めた。

その晩は人質や家族たちと語り合い、深夜まで過ごした。皆、顔が輝いていた。あのときの感激は生涯忘れることがあるまい。

翌日はフセイン大統領から人質全員解放の提案が国民議会に出され、私たちは日本に帰国したのである。

結果的に人質解放ということになってよかったのだが、あのときの私のテーマは戦争をストップすることだった。私だって国際政治は綺麗事《きれいごと》だけでは済まないということはよくわかっている。だが、自分の信念に沿って行動することが無駄だとは思わない。皆、個人で出来ることなんて限界があると言うが、個人で何かしたことのある奴《やつ》がいるのか。

「猪木さんはいいですね、一人だから何でも出来る」と言って来た議員もいた。ちょっと待ってくれ。「一人じゃ何も出来ない」というのが政治家の口癖で、だから無所属で立候補しても、当選したらすぐ大きな政党に入ってしまうではないか。

人質の夫人のひとりが、日本政府と外務省の対応についてこんなことを言っていた。「私たちがラグビーの試合をしているのに、彼らはバレエを踊っていた。爪先《つまさき》しか汚れてないんです、彼らは」

外交というのは、一面的でなくていいと思う。二面外交、三面外交というしたたかさが、国際政治には絶対必要だ。ところが外務省は政府の方針にすべてを従わせようとする。猪木を自由に暴れさせせて、それが問題になったら「彼が勝手にやったことですから」と言えばいいではないか。私は応援なんていらない、せめて妨害だけはしないで欲しかった。

政治家からも妨害された。自民党のある代議士が、自分がイラクのすべての窓口で、自民党にしか人質解放は出来ない。だから猪木と一緒に行くな、と夫人たちを説得していたのだ。

これはもう笑い話だが、イラクから帰国した私は懲罰委員会にかけられた。決められた日にちに帰ってこなかったというのである。こんなことではロクな政治が出来るわけがないだろう。

政治家はサラリーマンではない。国から給料もらって、そこそこの仕事さえしていればいいなら、役人と同じだ。

その翌年、フセイン大統領はクウェートからの撤退を拒否、湾岸戦争が勃発《ぼっぱつ》してしまい、私はまたイラクへ乗り込んだ。和平の道をさぐるためである。私なりに、彼らにアドバイスしたいこともあった。しかし、行くといっても戦争中だ。通信網も切られて連絡もつかないし、簡単ではない。

私はイランの外務大臣に交渉し、ビザと通行許可を取った。イランにはイタリア経由で入ることになった。前に書いたが、イタリアでは私は凄《すご》く人気がある。いつも行くレストランのおやじが大の猪木ファンで、事情を聞いて食料を鞄《かばん》に詰め込んでくれた。

イランに入ったのだが、日本大使館が公式には協力してくれない。でも大使館に勤めている青年たちが、「私たちは何も出来ませんけれど、せめてこれを持って行って下さい」とカップラーメンを持たせてくれた。

レンタカーで国境を越え、なんとかイラクに入った。かつてイラン・イラク戦争があった土地を走り、野宿することになった。水だけは持って行ったので、現地の人たちに水をあげて、その代わりにお湯を沸かしてもらい、あの青年たちがくれたカップラーメンを食べた。イラクの夜は寒い。イタリアのスキー・ショップで買っていた防寒着が役立った。

翌日、運のいいことに、アジズ外相が乗っていたバスと遭遇した。アジズはロシアの外務大臣と会談するためにイランの飛行場に行くところだった。イラクからはもう普通の飛行機は飛んでいなかったのだ。そのバスの運転手と交渉し、帰ってくるのを待ってバグダッドに入った。

バグダッドのホテルは、ひどい状態だった。ガラスにはひびが入っていてガムテープが貼《は》ってある。電気も止まり、当然冷暖房もない。私の部屋は七階で、エレベーターも止まっているから、大きなトランクを抱えて階段を上がった。

夜は毎晩空爆である。すぐ近くではなかったが、ドーンという重い衝撃が響いてくる。見ていると一晩に三回ぐらい爆撃機が来た。下から撃ち返す砲弾が花火のように光って、夜空を染める。

戦争の実体は酷《むご》いものだった。非戦闘員である市民や子供が爆撃で殺され、病院は悲惨な姿の怪我《けが》人でいっぱいだった。

政府の役人と交渉し、首脳陣に会う段取りをつけ、同行した新聞記者が会見までセッティングしたのに、残念ながら結局誰にも会えなかった。もう戦争末期ですべてが混乱していた。イラクはギリギリまで追いつめられていたのだ。

空爆下のバグダッドで、私は四十八歳の誕生日を迎えた。ホテルのコックが私のファンで、物資が不足している中、苦労して食材を調達し、焼きそばを作ってくれた。あの誕生日に食べた焼きそばの味は格別なものだった。

私の誕生日からちょうど一週間後、アメリカのブッシュ大統領は湾岸戦争終結・勝利宣言をしたのである。

12

スキャンダル勃発《ぼっぱつ》と北朝鮮の地

核査察問題下の北朝鮮を訪問した著者

最後にイラクに行く少し前、私はフロリダのマイアミ沖で尚美と結婚式をあげた。世界一大きいカリブ海クルーズ船・ノルウェー号での船上結婚式である。参院選出馬の直前に入籍し、いつか結婚式をしようと思っているうちに時間が過ぎてしまったのだ。まあ、久しぶりの休暇のつもりだった。

結婚式の後、カリブ海クルーズに出た。新聞も、公設秘書の佐藤久美子も、結婚式にかこつけて、結構楽しんでいた。

帰国して、議員会館でテレビの昼のニュースを見ていると、磯村尚徳《ひさのり》が都知事選に出馬するというニュースが流れた。

当時、現職で三期十二年も務めた鈴木俊一都知事に対し、自民党の小沢一郎がNHK特別主幹の磯村尚徳を担《かつ》ぎ出し、都議会の自民党と対立するという異常事態になっていたのだ。そのゴタゴタに都民は嫌気がさしていたと思うし、私も腹が立った。

磯村はモハメド・アリ戦のときに、NHKのニュースの中で「こんなものはNHKで取り上げるまでもありませんが」とか何とか言ったらしい。新聞はそのことを恨んでいたし、私も磯村が出るぐらいなら俺が出ようか、と思った。

私は都知事選に出馬することを決めた。記者クラブに連絡し、急遽《きゅうきょ》、出馬会見を開いたのである。スポーツ平和党からではなく、無所属での立候補だ。勢いで立候補したものの、実を言うと当選するかどうか疑問だったのだが、周りは「これは動くぞ」と勢い込んでいた。女房にも相談しないで決めたから、いまだに文句を言われている。

国会でも、一年生議員なのに派手に活動していた私に対するやっかみがあった。湾岸紛争のときの政府や役所の対応にも、失望していた。私は、負けたら三年間アメリカに留学して勉強し直そうと本気で思っていた。

猪木出馬で自民党サイドは危機感を持ったと思う。磯村の票が喰われてしまうと、鈴木が有利だし、万が一猪木が当選でもしたら、幹部は責任問題だ。

親しかった自民党の森喜朗代議士は、私に「猪木君、これは命取りになるよ。政治生命が断たれるかもしれないぞ」と忠告してきた。森氏の背後には世話になった福田元首相の存在がある。

東京佐川急便の渡辺社長も会いたいと連絡してきた。彼は開口一番、「俺は自民党支持だからな」と言った。さんざん世話になっている佐川清会長の意向も、感じなかったといえば嘘《うそ》になるだろう。

そのときに菊池久という政治評論家が「猪木下ろしに小沢が二十七億用意している」とのキャンペーンをはじめたのである。

私が思っているより、大変なことになっていたのだ。私は、慎重にキャリアを積んで、いずれは大臣――などと思うタイプじゃないから、風を感じれば突っ走ってしまう。気づいたときは猪木包囲網とでも言うべきものが、じわじわと迫ってきているような、何とも厭《いや》な感じだった。

渡辺社長と一緒に私は金丸と会った。

「君は若いんだから、これから日本を背負わなければならない」と金丸は私を持ち上げておいて、「だから慎重にやりなさい」と言った。

止《や》めろなんて一言も言わないが、私だってそれはわかる。

私は更に金丸の子分である小沢一郎自民党幹事長とも会った。小沢ももちろん下りてくれなんて言うわけがない。私は小沢との話の中で、政治家としては本来、外交と環境問題を中心にやって行きたいので協力して欲しいという話をした。小沢一郎は「はい、わかりました」と答えた。その約束はまったく守られなかったが。

金丸や小沢から見れば私は一年生議員にすぎない。体格だけはやたらにいいが、一年生は一年生。やはり大人には勝てない。世話になっている人たちからも反対され、下りれば金を貰《もら》ったと勘ぐられる。私は進退窮《きわ》まった。

結果的に私は福田元首相に会ってから、出馬を辞退した。生意気なようだが、今まで世話になった福田さんに花を持たせてあげようという気持ちも少しあった。磯村は結局、落選した。

誓って言うが、金は貰っていない。私の気持ちは国際政治に向いていたし、あのときの雰囲気の中で、私なりの勝負勘が働いて、下りたのである。

借金の方は相変わらずだった。議員会館まで借金取りに押し掛けられたこともある。議員歳費は月平均約二百万だったが、私設秘書の給料を払えばほとんど残らない。新日本の役員報酬も右から左に借金返済に消えて行く。政治には金がかかるのが事実だ。私利私欲のためでなくても、大きなことをやろうと思えば、どうしても金がかかる。

湾岸危機のときも、チャーター機の費用など、莫大《ばくだい》な金がかかった。政府は出してくれないし、どこの企業も外務省を怖《おそ》れて出してくれなかった。いくら何でも人質たちやその家族に負担させるわけにはいかない。

はっきり言おう。私は佐川急便の佐川清会長に頭を下げ、支援してもらったのだ。佐川急便の会長について、ここで説明しておきたい。私は、会長は命の恩人だと思っている。

佐川会長と最初に会ったのは鈴木正文という人の紹介だった。鈴木正文は空手家で、京都の正武館の館長。モンスターマン戦のレフェリーをやった人物だ。

あれは藤波が凱旋《がいせん》帰国したときで、私は滋賀県の体育館で試合をした。その頃、倍賞美津子に異変が起きていた。体調も悪いし、奇妙なうわごとを言う。いろんな人が心配してくれて、どうやら霊が取りついているということになった。琵琶湖の行者が除霊してくれるというので、私は美津子を連れて行った。私は試合があるので、除霊には立ち会えなかった。

試合を終え琵琶湖の畔《ほとり》のホテルに戻ると、美津子の顔がピカピカ輝いているではないか。表情が数時間前とまるで違う。私はホッとした。除霊は成功したようだ。

その夜、鈴木正文に連れられて琵琶湖の側の料理屋で宴会している佐川会長に初めて会った。恥ずかしい話だが、私は佐川という人が何をしているのかもよく知らなかった。そこでは挨拶《あいさつ》をしただけで、私たちは藤波の凱旋祝いのため近くの焼き肉屋に行った。

それからホテルに戻って寝ようとしたところ、美津子の様子がおかしい。琵琶湖の中から誰かが呼んでいる、侍の姿をしている人だ、などと言うのである。

これはまずいと思って、若い衆を呼ぼうとしていたら、美津子が物凄《ものすご》い勢いで廊下を走り出した。部屋は六階で、廊下の端がガラス戸になっている。そのガラス目がけて走って行くのである。

ガラスを破って飛び出せば転落して死ぬ。私は必死で追いつき、タックルして倒した。そのままのしかかって頬をビンタしたが、まだ正気に戻らない。若い衆たちはどういうわけだか、ドッキリ・カメラだと思って笑って見ている。

しばらくしてやっと琵琶湖の行者に連絡がついて、行者曰《いわ》く「強い霊が未練を残しているだけですから、すぐに終わります」とのことだった。実際、それで収まったのだが、あのときは驚いた。

話が妙なところに行ってしまったが、とにかくそのときは佐川会長とは挨拶しただけだった。

それから会長の家に何回かお邪魔するようになった。その都度、鈴木館長が付き添っていたが。プロレスの人気が全体に落ち込んでいる時期で、会長が心配して、新日本と全日本が仲良く一緒にやるなら支援は惜しまないと言ってくれた。佐川会長はジャンボ鶴田の後援会長もしていて、全日本とも近い人だったのである。

私は細川別邸で馬場と会った。しかし折角の会長の提案も、馬場が私をまったく信用していないので、そのままお流れになってしまった。

会長との付き合いは、そのころから深くなっていった。

あるとき知り合いの実業家が、私の借金苦を知って、儲《もう》けさせてやるから手形と小切手を預けろと言ってきた。私は藁《わら》にもすがる気持ちで預けた。実際、持田製薬の株で二億ぐらい儲けたらしい。

ところが、その後、その人の会社の経営がうまくいかなくなってくると、彼は預けた手形を切ってくる。儲けた金は全部自分の懐《ふところ》に入れて、「一千万、来週落とせよ」と言ってくるのだから、たまったものではない。それも次から次にだ。

私は困り果て、腹を括《くく》って不渡りを出した。片目をつぶったのである。その晩は村松友視と対談することになっていた。そこに行って「今、不渡り出してきた」と言ったけど、誰も信じない。村松さんによく言われるが、あれほど苦しんでいても、私はそう見えなかったらしい。それも困ったものだが。

ともかく、その翌日に私は京都に行った。ハイセルのことで相談するつもりだったのだ。佐川会長に挨拶に行くと、「早く言わないと駄目だろ」と説教され、ハイセルの借金の面倒を見てくれると言う。

そこに誰かから電話があった。会長が話しているのを聞いていたら、私のことらしい。その日の報知新聞に私の不渡りのことが出ていたのだ。電話の相手はそれを読んだのだろう。会長は何も言わず、私も「今はその件はまずいです」と秘書に止められて、何も説明しないまま、食事を御馳走《ごちそう》になって別れた。

すべてを説明しなかったことが心にわだかまっていたので、私はその晩会長に手紙を書いた。何もかも説明し、「会長を騙《だま》すつもりは毛頭ありません。それだけはわかって下さい。会長に対する恩義は忘れていません」というようなことを書いて、朝一番に手紙を置いて帰京した。

それが一つのきっかけになり、私は佐川会長と親しく付き合うようになった。猪木という男を信用してもらえたのだと思う。それ以降、新日本プロレスに債務保証してもらい、ハイセルに融資をしていただいた。大変なピンチのときはいつも佐川会長に助けてもらった。

その後、巨額の負債を抱えたアントン・グループは佐川の管理下に入り、私は代表取締を抜けた。それ以外の私個人の借金も、引退興行の分配金と新日本の退職金ですべて帳消しになった。つまり、私は借金地獄から解放されたのである。何もかも、佐川会長のおかげなのだ。

佐川会長をマスコミは悪く言う。しかし会長が日本の文化のためにどれだけ貢献したか。どれだけ目に見えない援助をしてきたか。恩人だから言うのではない。今は評価されなくても、必ず評価されるときが来るだろう。

都知事選騒動の後はさすがに政治の世界にうんざりしたが、私は相変わらず世界を飛び回っていた。

気がついたら、任期も半分が過ぎようとしていた。私は次の参院改選で候補を立てて闘おうと思っていた。友人の紹介で、元プロ野球選手の江本孟紀《たけのり》と会うことになった。江本は私とは違ったキャラクターで、頭もよく鋭い分析力と批判力を持っている。金銭面もしっかりしていて、私とはいいコンビになりそうだった。

彼も悩んでいたが、決断し、結局出馬することになった。

供託金はすべて私が出した。一人四百万で四千万だ。あるコマーシャルに出たときの金があったので、それをそっくり選挙の資金にあてた。

江本は見事に当選し、スポーツ平和党の二人目の国会議員になった。

いよいよ議員一期目の後半に向かってスパートをかけようと思っていた矢先、私は思わぬ事態に巻き込まれることになる。側近中の側近に刺されてしまったのだ。

新聞とその愛人である元公設秘書の佐藤久美子が、週刊誌を使って、私を告発する大キャンペーンをはじめたのである。

私は金に頓着《とんちゃく》しない男だし、議員活動に忙しくて経理なんてチェックする暇がない。金銭的なことは新間や佐藤にすべて任せていた。結党以来、私は稼いだ金をすべて彼らに渡していた。

平成四年の年末に私はソマリアに行き、難民たちの悲惨な状況を見て来た。生き地獄とはあのことを言うのだろう。自分の目であれを見てしまったら、もう動かざるを得ない。私は難民たちの写真を公開し、募金を募った。善意の金が一晩で何十万と集まった。それを貯《た》めておいたのだ。

その後、モザンビークに行くことになったので、モザンビークの難民のためにその募金を持って行こうとした。すると新間たちが烈火の如《ごと》く怒りだした。この金は党の公金で、議員一人が手をつけることは許されない、と言う。

おかしいと思い、職員に調べさせてみたら、金は消えていた。難民のために集めた金を彼らが喰ってしまったのだ。それだけはどうしても許せなかった。

調べてみると、他にも不審な点がいくつも出てきた。彼らは私が経理に無関心なのをいいことに、党の金を着服し続けていたのである。難民の募金の件もあるし、もう見逃すわけにはいかない。私は佐藤を馘首《くび》にし、新間と話をして、経理にはタッチさせないことにした。

それが結局、彼らを怒らせたのだった。

まったくの逆恨みなのだが、人間の怨念《おんねん》とは恐ろしいものだ。彼らは私を引きずり下ろし、自分たちのやったすべての罪を私になすりつけ、スキャンダルの泥沼に突き落としたのである。

私はそれまでも謙虚でありたいといつも思っていたし、国会議員になってからは、意識してそう心がけてきたつもりだ。しかし新間は「猪木をここまでにしたのは俺の力だ」と思い上がり、政治の世界の裏側を覗《のぞ》いて、大きな権力を手にした気になっていたのだろう。

彼らのキャンペーンにしても、事実ではないのだから、そんなものはいずれ消えてしまうと私はタカを括《くく》っていた。ところが世間は彼らの煽動《せんどう》を面白がり、どんどん火が大きくなって行くのである。

術中にはまるというのは、まさにあれを言うのだろう。気づいたときは、もう手の打ちようがなくなっていた。いくらこっちが叫んでも誰も聞いてくれない。自分がやってきたことのすべてが、崩れていく。彼らが嘲笑《あざわら》う声を聞きながら、私はそれをただ見ているしかないのだ……。

リングの上ならどんな強敵でも怖くない。しかし今回は違った。彼らは私のことを熟知している。性格的なものを含めて、一番私が弱いところ、厭《いや》がるところを突き刺してくる。何故《なぜ》そこまでしなければならないのか理解出来ないが、怨念というものはそういうものなのかもしれない。

親戚《しんせき》の叔母までが引きずり出され、ワイドショーのレポーターにマイクを突きつけられる。どっちが正しいかなんて、ワイドショーには関心がない。どんどん波紋が広がって、視聴率さえ取れればそれでいいのだから。

そんな人間を側近にしていたことが悪いと言われれば、何の弁解もできない。新聞は苦労を共にしてきた戦友だと思っていた。彼が連れて来た佐藤を使うのも自然なことだったし、疑う理由なんてなかった。

切るにせよ、怨念を生まないようにうまく外していき、影響力がなくなってから遠ざけるような知恵もあるだろう。私は性格的にそういうことが出来ないのだ。彼らにしたら、こんな居心地のいいところはなかったろう。佐藤はタレント志望だったし、猪木の美人秘書なんて言われてちやほやされるのだから。金もどんどん入ってくるから、ブランド品を買い漁《あさ》り、後にわかったのだが佐藤はオーストラリアに別荘まで買っていたのだ。

マスコミに囲まれて何週間も家から出られなくなり、女房は飯が食えなくなってガリガリに痩《や》せてしまった。テレビをつければ朝も昼も私のスキャンダル。佐藤が化粧して出てきて、あることないこと喋《しゃべ》っている。新聞の見出しも、連日、私が極悪人だと断定している。

そのうちに、テレビに否応《いやおう》なしに引きずり出されてしまう。テレビ屋にとっては面白ければいいのだ。本番であれだけ叩《たた》いておいて、その舞台裏では、コメンテーターがすみませんと私に頭を下げてくる。スタッフたちは今日の視聴率はどこが高かったか、このタイトルじゃ刺激が弱くて数字が取れない、なんて喋っている。その中に巻き込まれた馬鹿《ばか》ばかしさをわかっていただけるだろうか。

見世物なのである。だから逆上したり、正義を訴えることがむなしくなってきて、最後にはもうどうでもいいと思った。

しかし国会議員の「不正」が問題なのだから、ワイドショーのレベルでは済まされない。

私はホテルで三日間、検察庁の事情聴取を受けた。女房も二日間拘束されて徹底的に聴取された。あれだけ騒がれれば、検察庁としても動かざるを得なかったのだ。

検事にも名誉欲がある。政治家一人落とせば、勲章になるだろう。誓って言うが、私は何もやましいことはしていない。もし検事の出世欲のために陥れられ、抹殺されるのなら、彼を殺してやろうと思った。取り調べは一対一だったから、私には簡単なことだ。こんなことを書くと、ひどい男だと思われるかもしれないけれど、これがそのときの正直な気持ちだった。自殺した新井将敬が実際何をやっていたかは知らないが、私は彼の気持ちを少しは理解できる。

結果的には、当然ながら何も出てこなかった。結局、不起訴である。逆に検察の調べで、新聞たちがどれだけ不正なことをしていたかを、私は知らされた。

選挙の応援演説には行ったが、大金を貰《もら》っていたのは知らない。彼らが勝手に受け取って、自分たちで使っていたのだ。還付金を不正に受け取っていたと書かれたが、すべて佐藤に任せていたことだ。激務の中でいちいちそんなことをチェック出来ないし、そういうことを処理するために経理を置いていたのだから。

それに、もし私がそんな不正を行っていたとすれば、スポーツ平和党の幹事長だった新間にも責任があるはずではないのか。

その後も告発が延々と続いた。ＰＫＯ視察のために三回訪問したカンボジアで、私が女を買い漁ったというのだ。同行した記者に聞けばすべてわかることなのに、テレビには得体のしれない証人とやらが出てくる。佐藤は告発本まで出し、最早《もはや》、その本を売るためのキャンペーンだった。

ピストル疑惑というのもあった。私が友人に頼んでピストルを二十八丁密輸入しようとしたというのだ。それも非合法のガン・クラブを作るためだという。どう考えても、これを記事にした奴《やつ》は狂っているとしか思えない。

私がピストル嫌いなのは、知人たちは皆知っている。第一、私はその気になれば、素手でいつでも人を殺せるのだから。

税金滞納問題というのもあった。マスコミは国会議員のくせに税金を払わないとは最低だ、と書き立てた。

これは前にも書いたが、この問題は、新日本のクーデターの後、会社立て直しのために、テレビ朝日から役員が送り込まれて来たときに遡《さかのぼ》る。

私が裸一貫で新日本プロレスを作ったときに、私の土地にまず道場を建てた。その土地を担保に、金を会社から借りていたのだ。借金と相殺《そうさい》するために、私は新日本にその土地を売ることになった。当時の私は税金の知識もなく、テレビ朝日に言われるままに土地を売ったのである。まったく馬鹿な話で、売ることによって当然巨額の税金が生じる。それが払えないためにどんどん滞納金が膨らんでしまったというのが真相だ。

払わないと言っているわけではない。税金は利息をつけて分割で払っている。私は普通の人よりもずっと多く、税金を払ってきたつもりだ。

そのうち、新間は江本と私の関係をこじらせようと画策をはじめた。江本は新間と組んで私に反旗を翻《ひるがえ》し、スポーツ平和党は分裂の危機を迎えてしまった。

江本と私は正反対のキャラクターだ。これはチームプレーが身上の野球選手と、自己アピールが売り物のプロレスラーとの違いでもあったと思う。新間が党を離れて、ゴタゴタは解消したが、党のイメージは悪くなってしまった。

政治家としての私のイメージも地に堕《お》ちた。これは今だから言えるが、もしあのまま何事もなく二期目を続けていたら、私も増長し、権力に擦り寄り、平気で他人を裏切り、汚い事に手を突っ込むような腐った議員になっていたかもしれない。新間が狂ってしまったように、政治の世界には確かにそういう魔力がある。

あのスキャンダルが一番加熱していたとき、私は外に出るのが怖かった。ある日、勇気を出して外に出てみた。石をぶつけられるか、罵倒《ばとう》されるか……。しかし、歩いていると多くの人たちが寄ってきて、「頑張って下さい」「あんな奴らに負けないで下さい」と声をかけてくれたのだ。

信じてくれない人たちに、理解してもらおうといくら藻掻《もが》いても、結局は無意味なのかもしれない。わかってくれる人はわかってくれている。それが一筋の救いになった。

新間は私を貶《おとし》めて、嬉《うれ》しかったのだろうか。モハメド・アリ戦をはじめ、彼と組んでやってきたことは、今でも私の誇りだ。新間がいたから猪木が輝いた時代がある。私は素直にそのことを認めている。

怨念と嫉妬《しっと》に取りつかれ、悪魔のようになって策謀を巡らしても、新間にはアントニオ猪木を消し去ることは出来なかった。彼は生涯苦しむことになるだろう。最近はプロレス・マスコミに顔を出しているらしいが、私と彼との関係はもう修復不能だ。

それにしても、私だから耐えられたのだと思う。普通の人より、いろんなことがあった人生だと思うが、あれほど心に深い傷を受けたことはなかった。

平成六年に入ると、北朝鮮の核査察が国際問題になってきた。外務委員会や国際安保委員会でも北朝鮮のことが議題に上るようになった。

北朝鮮は独裁者が君臨するテロリスト国家で、何をやらかすかわからない恐ろしい国だという。その上、日本を射程距離に捕らえた核ミサイルを配備しているらしい。

北朝鮮が仮想敵国であるかのような議論を聞きながら、私は例によって、何か直接行動が出来ないかと考えはじめていた。

恥ずかしい話だが、私は朝鮮問題についての知識がほとんどなかった。民族差別のことも植民地支配も、それほど詳しく知らない。それで、北朝鮮の資料を取り寄せて勉強をはじめた。資料を読み込んでいくうち、私は師匠の力道山について考えるようになった。

その三年ほど前に、力道山の娘が今も北朝鮮に住んでいるという新聞記事を読んだことがある。力道山が朝鮮人だというのは何となく知っていたが、私は在日だと思っていた。私はそういうことに無頓着だし、力道山が何人だろうが関係ない。力道山は力道山なのだから。

力道山は東京オリンピックに相当入れ込んで、協力を惜しまなかった。当時、力道山の兄は北朝鮮オリンピック委員会の代表だったのだ。肉親と再会することを心待ちにしていたのだろう。

日本からの第一次帰国船で帰った人たちが、力道山の存在を母国に知らせた。同胞が日本の英雄になっている。それで娘の存在もクローズアップされ、国家から手厚い待遇を受けることが出来たのだ。

読むほどに私はのめり込んで行った。

ある時期から、私は瞑想《めいそう》をはじめていた。目を閉じて呼吸を整えていくと、空気が澄んできて、物が鮮明に見えてくる。その状態で力道山に思いをはせているうち、力道山の何気ない一言や、忘れていた場面が思い出されてくる。自分の気持ちが次第に力道山に重なっていくのだ。

リングを下りれば酒に溺《おぼ》れ、暴力沙汰《ざた》を繰り返した力道山。力道山は空手チョップを産み出すために、血を流しながらコンクリートに三千回チョップを叩《たた》き込んだという。その心の奥に潜む怒りと哀《かな》しみ。そして孤独。スターになるほどに自分の出自を隠し続けなければならないことのむなしさ……。

前にも書いたが、力道山について私には複雑な思いがあった。心の深いところで固く凍ったままだったこだわりが、次第に溶けだし、素顔の力道山が見えてきた。

私は力道山の無念を思った。死んだ夜に私の足元に現れたあの力道山の影が、私に伝えようとしたこと。それが、やっとわかったような気がした。彼が果たせなかった夢を、弟子である自分が果たすことが、恩返しだとも思った。

力道山の無念とは何か？

それは望郷の念である。朝鮮人が差別されている日本で、裸一貫で大スターになったのだ。どれだけ故郷に錦《にしき》を飾りたかったか。肉親に晴れ姿を見せたかったか。本当に自分を評価し、心から出世を喜んでくれる人たちは、故郷にしかいなかったのだから。

力道山は晩年、こっそり韓国を訪問している。板門店を訪れた力道山は、突然上半身裸になって、北の祖国に向かって雄叫《おたけ》びを上げたという。彼は何を叫んだのか。誰にその叫びを伝えたかったのか。

あれだけの名声と金を手にした力道山だが、本当に欲しかったものはそれではなかったのだ……。

私は自分の目で北朝鮮を直接見て来ようと思った。とは言っても、当時は特にナーバスな時期だったから、北朝鮮に行くのは難しい。

何のコネもないので、直接朝鮮総聯《そうれん》を訪ねた。そこで申請を出すときに、猪木さんはどういう資格で行きたいのですか、と問われた。政治家なのかスポーツマンなのか？

私は、力道山の弟子です、と答えた。師匠に恩返しをしたいのです、と。

中国経由で北朝鮮に入る許可をもらい、私は北京に向かった。北京を発《た》とうと飛行場でチェック・インをしているところに、北朝鮮の外務省の役人が走って来た。

「今回は大変申しわけない。ある事情があってお迎えすることができません」

金日成主席が亡《な》くなったのである。仕方なく、私は日本に戻った。

その後、正式な招待状をもらい、九月に初めて北朝鮮の土を踏んだ。力道山の娘が空港まで出迎えてくれた。彼女の夫は国家体育委員長である。師匠の娘と対面したのだが、彼女はこちらの真意を窺《うかが》っているようで、最初は距離を感じた。

私は政府の要人と食事をすることになった。政治的な訪問ではないのだが、挨拶《あいさつ》のときに「聞くところによれば、北朝鮮のミサイルは日本に向いているそうですが」と聞いてみた。

相手は表情を固くして「そういうことはお互いの関係が深まれば、自然に解決するものです」と答えた。

「ということはミサイルは日本に向いているんですね」と言うと、もう相手の顔色が変わっている。まずいと思ったが、いつものことだ。それから本音で喋《しゃべ》っているうちに、すぐ仲良くなった。

彼らは日本のマスコミが一方的すぎると怒っていた。私はイラクでの体験を話し、「平和の祭典」を提案した。力道山がやっていたプロレスというものを北朝鮮の国民に紹介し、世界の人たちを招いて、彼らの目で実態を伝えてもらえばいい。

あの国では異例のことだが、滞在中にイベント開催の許可が下りた。私は帰国するなり、イベントの準備に追われた。力道山のためにも何としてでも成功させなければならない。それに私にはもうひとつの思いがあった。

私もそろそろ幕を引くときだ。力道山に連れられてプロレス入りした私は、力道山に導かれて行った北朝鮮のリングで、引退するつもりだったのである。

翌平成七年の四月二十八日から三十日の三日間、平壌メーデー・スタジアムで「平和のための平壌国際体育・文化祝典」が開催されることになった。プロレスはそのうちの二日間行われる予定だ。

私はモハメド・アリを立会人として招くことにした。しかし、アメリカ政府がぎりぎりまで許可を出さず、アリは私に断りを言うために来日した。久しぶりに会ったアリは、パーキンソン病が悪化していて、奥さんの付き添いがなければバスの乗り降りも出来ない状態だった。

結局、許可が下りて一緒に北朝鮮に入ったのだが、あちらで熱烈な歓迎を受け、報道陣のフラッシュを浴びているうち、アリが別人のようにシャンとなったのである。特に檀君窟《だんくんくつ》という名所で、百何段もある階段を一人で登りきったのには驚かされた。

スターという人種は注目されれば甦《よみがえ》るのだ。北朝鮮のイベントがアリに力を与え、それがアトランタ・オリンピックのあの感動のシーンに繫《つな》がったと、私は思っている。

私は何よりも、北朝鮮が世界中から三万人の観光客とマスコミを迎え入れたことが嬉しかった。門戸を閉ざしていれば誤解が広がるだけだ。交流が生まれれば、新しい可能性が見えてくる。これは外交上も画期的なことだったと思う。

二日間で三十八万人という観客が来てくれた。北朝鮮国内のテレビ視聴率は九十九パーセント。だから北朝鮮で私を知らない人はいない。私があそこで選挙に出れば、間違いなく当選する。政府高官からは「一夜にして反日感情がなくなった」と言われた。

イベントには新日本プロレスだけでなく、アメリカのＷＣＷ、全日本女子プロレスが参加してくれた。

リングに上がってみると、これまで経験したことのないほどの大観衆だった。十九万人である。下から見上げると遥《はる》か彼方《かなた》まで観客がぎっしり詰まっている。私が動くと、地鳴りのようなどよめきが広がる。

私は感無量だった。これで力道山の恩に報いることが出来たと思った。プロレス入りして三十五年、力道山が死んでからは三十二年だ。もうプロレスで思い残すことは何もない。

私はリック・フレアーと闘った。彼は元NWAのチャンピオンで、ある時期のアメリカのプロレスを代表していた選手だった。私が求めたのは激しく厳しい試合だった。フレアーは精一杯それに応《こた》えてくれた。北朝鮮の大衆の目に、力道山の残したプロレスを焼き付けることが出来た。そして力道山が私の中に残した「闘魂」というものを彼らに伝えることが出来たと思う。

力道山は韓国でも英雄だ。だから北朝鮮、韓国、日本というのは、力道山という同じ英雄によって結ばれたトライアングルなのである。民族問題で苦しんだ力道山が、国境を超え、時代を超えて語り継がれる存在になった。それは素晴らしいことだと思う。

力道山は死ぬ前、色紙によく「闘魂」という文字を書いた。私はいつも墨をすって、色紙の上を走る筆先を見ていた。その言葉が特に印象に残っていたので、いつの日か私は色紙に「闘魂」と書くようになった。私のキャッチ・フレーズになっている〝燃える闘魂〟のルーツは力道山なのだ。

「闘魂」とは何か。それがわかるまでには長い年月が必要だった。今、私はこう考えている。「闘魂」とは己に打ち勝ち、闘いを通じて自分の魂を磨くことである――と。

その後も事情が許さずにリングに上がらねばならないことになってしまったが、事実上、あの北朝鮮のリングでアントニオ猪木は引退したのだと思う。だからあの日、力道山の故国北朝鮮のリングの上に、私は特製のガウンを置いて来た。

13 引退　新たな世界へ

引退試合後、ファンに最後の挨拶をする

北朝鮮での試合の後、二期目を目指して参議院選挙に出た私は、落選した。相次ぐスキャンダルで党のイメージは悪くなってしまったし、投票率も史上最低だった。五十四万票を獲得したが、当選ラインには十五万票及ばなかった。

落選はもちろんショックだった。

六年間必死で走り続けたことには何の悔いもない。私なりにいくつかの成果を残せたと思っている。だが政治には魔力がある。六年間で、猪木らしさがどこまで持続できたのか、振り返ってみると疑問が残る。負け惜しみではなく、落選してよかったのかもしれない。

今でも政治には興味があるが、自分で立つ気はもうない。

小選挙区では、組織がなければ勝てない。建前ではなく実態を見れば、選挙には金がかかりすぎる。私は日本の国民性には中選挙区が向いていると思うが、とにかくこのままでは若者の政治離れが進んで、大変な事態になるだろう。

だから政治に限らず、若い人たちが真剣に取り組んでいることがあれば、いつでも協力は惜しまないつもりだ。

前にも述べたが、気持ちの上では北朝鮮で引退したつもりだった。しかし、新日本プロレスとしても猪木引退は大イベントだ。

平成六年から「イノキ・ファイナル・カウントダウン」と銘打った試合がスタートしていた。引退まで年に三回か四回、全国の大会場にのみ出場するというわけである。引退を発表して全国をツアーし、更に海外ツアーを経てラスト・マッチ——そんな青写真を漠然と描いていたのだが、政治家をやっているとスケジュールが組めない。それでこんな変則的なことになってしまったのだ。

政治の世界に入ってからは、もうプロレスへの情熱は消えていた。しかし、私流の外交の手段としてイベントを企画しても、協力してくれるのは結局、プロレスということになってしまう。湾岸危機のとき、イラクの「平和の祭典」に出てくれと呼びかけても、どこのスポーツ組織も参加なんかしてくれない。だからプロレスとは縁が切れなかったのだ。

自分としては、いつ終わってもよかった。そのうち、長州がさっさと引退し、先を越されてしまった。

たまたま前の年のペナント・レースで、読売ジャイアンツと日本ハム・ファイターズがどちらも成績が悪く、開幕戦での東京ドーム使用権が取れなかった。四月の第一週にジャイアンツが押さえていた日が空いているという。

それを聞いた私は即断し、引退興行をその日に決めた。もっと緻密《ちみつ》にスケジュールを組めばよかったのかもしれない。しかし、ここまで読んでくれた人はおわかりだと思うが、私は重要なことほど直感で決めてしまうのである。

この時期に引退を決めた理由は、二つあった。

一つは、今、新日本プロレスの人気が沸騰《ふっとう》しているということだ。私が議員である間、新日本は長州が敷いた路線を突っ走って来たが、それが若いファンに評価され、新日本は再び黄金時代を迎えていた。努力しなくてもチケットが売れるのである。テレビ中継が深夜枠だということを考えると、これは驚異的なことだ。私の存在も知らないファンが支えているのだから、いつ引退しても構わない状況だ。

絶好調のときこそ、攻めの姿勢を忘れてはならない。考えてみれば、私は防戦一方の人生だった。大きな負債を抱え、それを返済するために闘っていたようなものだ。その負担はどうしても新日本にもかかってしまう。引退興行で新日本に借りていた借金がクリアになれば、新日本は更に攻めに回れる。私は会長も辞職し、完全に新日本を離れることを決めた。

そして、もう一つは小川直也という選手の存在である。

小川は恵まれた肉体を持つ柔道の重量級チャンピオンで、バルセロナ・オリンピックの銀メダリスト、世界的な知名度がある選手だ。

随分前になるが、私がロシアに合宿していたとき、トビリシで柔道の世界選手権があった。小川は明治大学柔道部の出身で坂口の後輩にあたる。私は坂口から、小川に会って小遣いでもあげて下さいよと言われていた。結局、帰りの飛行機で一緒になり、私は彼に好感を持った。

帰国して坂口に「あれ、プロレスにどうだ」と聞くと、「それだけは勘弁して下さい」と言う。坂口は、自分が柔道からプロレス入りしたときに揉《も》めた経験があるから、柔道界とトラブルになるのは厭《いや》なのだ。それで、私も何となくそのことを意識から消してしまった。会った印象でも、小川が特別プロレスに興味があるとも思わなかった。

それから何年かして、全日本プロレスが小川を引っ張っているという情報が伝わってきた。私は坂口に「それはないだろう。そんなんで取られたら、お前、顔ないじゃないの」とけしかけ、坂口は渋々重い腰を上げたのである。

柔道界は縦割りの社会で学閥もあり、東海大の山下監督と対立したりして、小川もいろいろ辛《つら》い思いをしていたらしい。その頃はもう日本中央競馬会（ＪＲＡ）に入社していたが、そこでも居心地が悪いようだった。

私は小川に会い、悩んでも仕方ない、自分の信じた道を行けばいいんだ、と説得した。体が大きい人特有の優柔不断さが小川にもあり、彼はしばらく悩んでいたようだ。

その後、私がロサンゼルスに行っているときに小川が訪ねて来て、プロレス入りが決まった。彼は二十代の終わりだったから、ギリギリの決断だろう。ロスでは二週間ぐらい一緒にいたと思う。私たちは寝食を共にし、いろんなことを話し合った。

私は、プロになるなら、まず意識を変えなければ駄目だと教えた。柔道界が窮屈だと感じていたということは、彼はそこに収まらない強いエゴを持っているということだ。それを伸ばして行けばいい。「手前の首を掻《か》き切ってやる！」と先輩を罵《のの》って、初めて観客が振り返ってくれる。

格闘家としての小川の素質は、新日本の選手の中では断トツだ。肉体的にも優れているが、エリートであるというプライドが武器になる。

私が若い頃、プロレスに入ってくるのは、柔道でもアマレスでも相撲でも、一流の人材ばかりだった。それがいつの間にか、プロレスが好きだというだけの若者を入門させるようになった。

そういう連中と、経験とプライドを持ってこの世界に挑戦してくる者との差は大きい。それはオリンピック選手だった長州を見ればわかるだろう。オリンピックでなくても県大会でもいい。家庭環境でも血統でも何でもいい。とにかく、俺はこいつらと違うんだという拠《よ》り処《どころ》を持つことが重要なのである。

私は、厭がる小川に、流行のデザインの派手な洋服を買い与えた。髪型も変えさせた。

坂口は見るなり「何だその格好は」と驚いたが、ヤワラちゃんには「小川さんて、凄《すご》くカッコ良くなったわ」と褒められたらしい。

橋本や武藤、蝶野の頃は、私も忙し過ぎて、細かいところまでアドバイスしてやれなかったのが残念だ。小川とはいい時期に出会ったと思う。運の強さもまた才能である。

今、橋本たちは小川にジェラシーを感じているだろう。もっともっとジェラシーの炎をかきたてればいい。最終的に、彼らと小川のどちらのオーラが強くなるのか、楽しみではないか。私の中ではもう見えているが。

議員時代には、もう橋本たちがメーン・エベンターになっていたが、こいつなら任せられるという感じはしなかった。それぞれ持ち味があり、スターの素質は持っているのに、誰にも負けない強い光を放つ奴《やつ》がいない。

私の考えで、小川は新日本プロレスとは距離を置き、私が直接指導することにした。佐山がコーチ役になった。柔道で頂点まで行った男だから、逆にその型を崩すのは大変だった。どんな相手とでも闘えるプロフェッショナルな格闘家になるためには、一つの型に縛られていては駄目だ。最終的には実戦の中で経験を積んで行くしかない。

小川は東京ドームでのデビュー戦で、いきなりＩＷＧＰチャンピオンの橋本を撃破した。まだまだキャリアは浅いが、このまま成長して行けば、新しいタイプのスターになれるだろう。

新日本に勢いがあって、小川も出てきた。つまり、平成十年四月四日というのは、幕引きのタイミングとしては、悪くなかったのである。

私はプロレスの世界を卒業した後は、昔からの夢である世界格闘技連盟を旗揚げしようと思っていた。ユニバーサル・ファイティングアーツ・オーガニゼーション（UFO）という組織も作った。世界各国で、一流のプロフェッショナルの格闘家たちが闘う。殺し合いではなくファイティングアーツ、つまり格闘芸術を見せるのだ。それが私の昔からの夢でもあった。

もう私は現役は無理だから、今、小川を指導しているように、直接選手を育てるつもりだ。別に日本人選手である必要はない。格闘技は実にわかりやすい世界で、強ければどんな国籍でもスターになれる。

格闘技連盟の本部はロサンゼルスに置き、ミネアポリスに道場を建てることにした。申請してみたら、すぐにアメリカの永住権が取れたので、思いきってロスに移住することにした。もう家族はアメリカに住んでいる。

道場を建てるミネアポリスは何もない土地だ。遊ぶところがないから、練習に打ち込める。冬になるとやることがないから、若者はひたすらジムに集まり、身体《からだ》を鍛えている。町を歩くと、ゴリラみたいな奴がうようよしている。女の子までゴリラみたいな身体をしている。

格闘技というとアルティメットを引き合いに出されるが、あの程度のことは私は昔からやってきた。あれで〝究極〟とは笑わせる。私に言わせれば〝甘い闘い〟だ。せめて目玉への攻撃ぐらい許可しろと言いたい。

アメリカで始まったアルティメットは、金網に閉ざされた八角形のリングの中で真剣勝負を行う競技だ。選手たちが勝負にかける執念は認めるが、あれではメジャーになり得ない。実際、残酷すぎるということで、各州で中止命令が出されている。

これには裏があって、ボクシング業界が圧力をかけているのだ。アメリカではプロレスとボクシングは棲《す》み分けが出来ているが、アルティメットの観客はボクシング・ファンと重なる。だからボクシング・マフィアたちが議員を動かし、中止に追い込んでいるのである。

それはともかく、プロである以上、単なる残酷ショーではなく（そんなものはいつでも出来る）、格闘芸術を見せなければ失格だと思う。

プロレスの四角いリングにはロープが張られている。ロープをどう使うか、これが知恵なのだ。アルティメットは金網に囲まれているから、知恵を使う要素が少ない。力の強い奴がいつも勝つなら、観《み》ていても面白くないだろう。どうやって勝つか、知恵を絞るところに人間の闘いの面白さがあるのではないか。その可能性が開いているほど、駆け引きが面白くなってくる。

プロレスのルールは曖昧《あいまい》だとよく言われる。だが、ある意味では人間の知恵を十二分に行使できるルールだと思う。いい加減に使えば、いかにも見世物的でダーティに見えるだろうが、優れた技術を持つ者同士が真剣に闘うと仮定すれば、あのルールは知恵比べの道具になり得るのだ。

宮本武蔵やヒクソン・グレーシーのように、負ける相手とは絶対に闘わないというのも知恵の一つだろう。ヒクソンと高田延彦の試合を観たが、高田はもう試合がはじまる前に負けていた。それは、あの場にいた観客すべてが感じたはずだ。

私はヒクソンとは全く違うタイプで、誰とでも闘うと公言し、実際に闘ってきた。知恵がないのかもしれないが、その方が見ていてわくわくするだろう。勝ち負けだけが闘いのすべてではない。闘いを通じて、何を伝えるか、それが私が力道山から受け継いだファイティング・アーツの精神だ。

ＵＦＯは鍛え上げられた人間が、知恵と力を競う総合格闘技芸術を目指している。断っておくが、格闘ファンのために始めるのではない。私自身がわくわくするような試合を観たいのだ。

ＵＦＯの構想は昔からあった。佐山が若手時代の頃からだ。佐山はクーデターのゴタゴタで一度引退し、シューティングという総合格闘技を創設した。その後ＵＷＦに参加し、また離脱した。佐山には純粋過ぎて物が見えなくなるところがある。だからどんどん狭い世界に入ってしまい、本人も身動き出来なくなる。

たまたまあるラジオの仕事で再会し、過去のいきさつは忘れて（私にはもともと何のこだわりもないが）、一緒に昔の夢を目指すことになった。佐山は太る体質で、タイガーマスクを知っている者は愕然《がくぜん》とするような身体になってしまっていた。それで、私は佐山に減量を命じ、彼は新日本のリングに何回か復帰した。

佐山は一流レスラーには珍しく、理論的に選手を指導できる男で、私が弱い打撃系の技術を持っている。コーチ役としてはベストだ。佐山も戻ってきて、小川を得たとき、UFOの姿が明確に見えて来た。モハメド・アリに話してみたら、彼も賛同し、快く名誉会長を引き受けてくれた。

先に説明したが、今アルティメット系の選手たちが闘う場がなくなってきている。中国やインドにも優れた素質を持つ若者がいる。イスラム圏にも東欧にも強い選手はゴロゴロしている。アリの黒人社会のネットワークの中から、凄い選手が出てくるかもしれない。

世界各国に拠点が出来れば、面白いことになる。

日本のプロレス界はやたらに団体が増えているが、これは必然的に淘汰《とうた》され、いくつかの大きな団体に吸収されて行くだろう。アメリカの興行戦争で外国人選手のギャラは高騰しているから、これからはどうしても日本人同士の試合が中心になってしまう。それが飽きられたとき、プロレス界は大変な不況に落ち込むはずだ。私にはもうその時代が見える。そのとき、私のＵＦＯが新日本の力になれるかもしれない。

私も五十五歳になった。長年のシビアな闘いで、肉体はもうガタガタだ。政治家時代にあまり試合をしなかったから、ここまで何とか持ったとも言える。本当は、そのまま消えてしまえば楽だったのだが、そうもいかない。

引退試合の相手を誰にするか。ドリー・ファンク・ジュニア、スタン・ハンセン、タイガー・ジェット・シンや藤波辰爾、前田日明の名前も上がったが、正直言って私はもうそういう顔ぶれには興味がない。過去を振り返るのではなく、今の自分が面白がれる試合をしたかった。

結局、相手はトーナメントで決めることになった。誰が出てくるかわからない方が面白い。アルティメット系の外国人格闘家たちと、格闘技色の強い日本人レスラーたちに、小川も加わった八人でトーナメントを行うことが決定した。

五十五歳の肉体をどこまで鍛えられるか。みっともない身体で、不満足な動きを見せるのは私の美学に反する。四ヶ月のトレーニングは辛かったが、それなりの身体を作ることが出来た。いつものことで、ハードルを上げ過ぎてオーバー・ワークになってしまい、少し休んではまたオーバー・ワーク……という繰り返しだった。気楽に調整していればいいのに、貧乏性で、それが出来ない。試合の十日前になって無理して足首を痛めてしまい、さすがに焦《あせ》った。

四月四日のチケットはまさに飛ぶように売れた。リングサイドにはプレミアがついたらしい。東京ドームには七万人の観客が来てくれた。これはもちろんドームの動員新記録である。

試合は午後四時にスタートした。四月四日の四時、「4、4、4」である。熾烈《しれつ》なトーナメントの結果、小川をＴＫＯで破ったドン・フライが、私の最後の相手に決まった。

私は小川は負けると予想していた。小川の才能自体は何も言うことがない。身体も大きいし力もある。柔道出身であれだけロープを使えるというのは驚くべきことだ。しかし集中しているようで、まだまだ隙《すき》がある。打撃技はたった一撃、急所に入れば、それで倒されてしまうのだ。

ドン・フライは大学時代にレスリングのフリー、グレコ両部門で全米王者になった。その後二年間プロ・ボクサーを経験し、柔道とサンボも修得している。アルティメット大会で優勝し、優勝者だけの大会「アルティメット・アルティメット」でも優勝した〝ミスター・アルティメット〟だ。

私は、最後のリングだから三十分ぐらい振り回して、相手が立てなくなるまでへとへとにさせてやろうと考えていた。五十五歳のスタミナの恐ろしさを見せてやろうと思ったのだ。

ところが、最初に投げられて思惑が狂ってしまった。いくら投げられても普通の投げ方なら、こっちは平気だ。それが、フライは投げた後、密着したまま体重をかけてきた。受け身を取ってもその上に体をぶつけてくるのだ。

投げると同時に、フライが脇腹《わきばら》に肩を突っ込んで来たから、私は肋骨《ろっこつ》をやられてしまった。

逆にフライは足にダメージがあるようだった。小川との試合で痛めたのだろう。隠していたが、パンチもキックも踏み込みが悪いのだ。これは小川に感謝しなければならない。お互い故障があるから、展開が早くなり、私はコブラ・ツイストをかけたまま、倒れて更に締め上げ、フライはついにギブアップした。結果的には小川が肉を切って、猪木が骨を断つという連携だったとも言える。

アルティメット・ファイターのドン・フライも、猪木の引退試合ということで、幾分遠慮があったかもしれない。しかし勝ち負けではなく、五十五歳の男の闘いとしては、まああだったのではないか。

セレモニーのときは、涙は出なかった。

私は冷静で、これから七万人に何を喋《しゃべ》ろうかと考えていた。

モハメド・アリやウィリエム・ルスカ、アンディ・フグ、ボブ・バックランド、ユーリ・アルバチャコフといった人たちがリングに上がり、私に花束を渡してくれた。キラー・カーンやアニマル浜口、天龍源一郎、前田日明も来てくれた。そういえばリングの上で、前田は「引退後は自分もロスに行って、刀鍛冶《かじ》になります」と言っていた。どうも若い者の考えることはよくわからない。

私はマイクを持ち、思いつくままを喋った。

そのときはもう、闘いとか、引退とか、そういうことがすべて消え去り、綺麗《きれい》な空気が流れているような不思議な気持ちだった。

私はファンに感謝し、力道山のこと、そして闘魂ということを喋った。

最後に、新日本プロレスの道場訓にもしている、一休禅師の詩を読んだ。この詩こそ、私の人生そのものだからだ。

この道を行けば
どうなるものか
危ぶむなかれ。
危ぶめば道はなし

踏み出せば
その一足が道となり
その一足が道となる
迷わず行けよ
行けばわかるさ。

プロレス入りしてから三十八年。こうして最後のリングを私は後にした。七万人が見たのはアントニオ猪木の葬式ではなく、新たな世界へ踏み出す猪木を祝福するセレモニーだったのだと思う。

ロスに移住しても日本と行き来するから、日本にも道場を作るつもりだ。そこには、訪れた少年たちがいつでも悩みを相談できるように、カウンセラーを常駐させたいと思っている。宗教色のない「駆け込み寺」のようなものだ。

青少年の育成というのは私の長年の夢だった。

今、日本の社会は病んでいると思う。心が歪《ゆが》むのは、肉体自体が不健康だからだ。健康から生まれる発想だけが、豊かで平和な世界を作るのだと思う。毎朝、青空のように爽《さわ》やかに目覚めれば、ネガティブな考えなんて起きないだろう。そんな単純なものじゃないと言われるだろうが、人間はそれほど複雑ではないと思っている。

そのためにもスポーツを通じて、これからも社会にいろんなメッセージを発信していきたい。環境問題や食糧問題、国際交流にしても、私の出来ることをこれまで通り続けて行くつもりだ。

また金がかかることを考えていると言われるかもしれない。でも、それでいいではないか。格闘技だけの人生も、金儲《もう》けだけの人生も、私にはつまらない。

思えば私の人生にはいろんなことがあった。それでも今こうして生きていられるのは、純粋さを失わなかったからだと思う。純粋なエネルギーに従って生きているから、いくら打ちのめされても、周りがすべて敵になっても、前を向いて挑戦し続けることができた。

挑戦を諦《あきら》めたとき、人は年老いるという言葉がある。挑戦とは夢だ。これからも夢を持って、生きていきたい。だからきっと、これからの人生にもいろんなことがあるだろう。

何も恐れはしない。それが猪木寛至の生き方なのだから。

エピローグ

一九九九年の新年早々、ちょうどアメリカに帰る前に、ある人からジャイアント馬場の病状について聞かされた。癌《がん》らしいという。

私はアメリカに戻るとすぐ、森林再生事業の件でブラジルへ行かなければならず、ジャングルの中で訃報《ふほう》を聞いたのだった。

日本にいれば間違いなくマスコミに引っぱり出されていただろうが、ブラジルの山奥まではさすがにワイド・ショーも押し掛けて来なかった。私は、静かな原生林の中で、彼の死を冷静に受け止め、考える時間を持つことが出来た。

そのとき思ったのは、人間というものは、生きている間がどうであろうと、死に際《ぎわ》のよしあしというものがあるということ。誤解を恐れずに言えば、彼はいいタイミングというか、非常に名誉ある幕の引き方をしたのではないか……。

何度も書くが、馬場・猪木が張り合っていた時代はとうに過ぎ、もう私たちはあまり意識することもなくなっていたのだ。

しかし感慨がないといえば嘘《うそ》になる。

最後に会ったのは……確か、ホテルオークラだったと思う。私はUFOの旗揚げを控えていて、力道山の墓参りに行ってその場で頭を剃《そ》り、坊主になっていた。オークラで私がファンに囲まれてしまい、サインをしたりしているとき、その横をあの大きな体がゆっくり通り過ぎて行ったのだ。そんなわけで話も出来ず、目を合わせて挨拶《あいさつ》しただけだったが、それが最後になってしまった。

私よりも五歳年上の彼は生涯現役にこだわり、あんなに痩《や》せてしまっても、最後までリングに立つことを望んでいた。それは、彼のあの身体《からだ》の大きさと関係があると思う。

写真を一枚撮るにしても、大きい人は後ろに立っていれば済むが、小さい人はそこをかき分けて前に出ないと写らない。これが、日本の成功者に割と小柄な人が多い理由のひとつだと思う。大きな人は、どうしても消極的になってしまうし、いつも心のどこかで、目立たないようにという意識が働いてしまうのである。

だがプロレスラーの世界は世間とは違う。逆に、大きいだけで評価される私たちは、腹が張り裂けそうになっても、「もっと大きくなれ！」と怒鳴られ、食べさせられたものだ。プロレスでは最高の財産である馬場のあの巨体を、私は羨《うらや》んでいた。

彼が持っていたコンプレックスは、プロレスに入ることで逆転した。背を丸めて生きてきた馬場正平が、ジャイアント馬場として胸を張り、その身体の大きさを誇示して歩けるようになったのだ。リングに上がっている間だけは、彼はコンプレックスから解放されるのだ。

あるとき、「おい、こんないい商売はないよな」と言われたことがある。決して批判するのではなく、この一言に、ジャイアント馬場のプロレスに対する気持ちがこめられていると思う。そして、それは彼の生き方にも、全日本プロレスの経営方針にも繋《つな》がっているのではないだろうか。

私は「強さ」にこだわり、それを絶対と信じて闘ってきた。正直、厳しくて逃げたいことばかりだった。だが馬場のプロレスは「明るく、楽しい」もので、彼はプロレスをエンジョイしていたのである。

根本的なスタンスが違うのだから、私たちは常に平行線であり、交わることがなかったのだ。それでよかったのだ、とブラジルのジャングルで私は思い、馬場さんの冥福《めいふく》を心から祈った。

引退後、私は新日本プロレスから離れ、一九九八年十月二十四日に新団体ＵＦＯを旗揚げした。以来国内の大会場で四回、オランダで一回、興行を打っている。昔と違って、今はメディアがソフトを提供する側を育てようという意識がなく、正直、苦戦を強いられているところだ。ここが我慢のしどころなのである。利益は出ていないが何とかトントンで来られたので、UFOの行方を楽しみにしてもらいたい。

インターネットを覗《のぞ》くと、格闘技ファンの間には小川直也の名前が浸透し、その強さも高く評価されてきているようだ。私から見ればまだまだだが、彼も今はいろんなものを吸収している時期なので、これからの成長に期待したい。

ところで最近、プロレスを論じている中で、「あの選手は上手《うま》い」などという声を聞くことがある。ちょっと待って欲しい。私たちは職人ではない。「上手いか下手か」よりも「強いか弱いか」がテーマではなかったのか。

「強さ」こそ絶対だという信念は、引退した今も揺らいではいない。力道山から受け継いだ「闘魂」を、次世代に伝えていくことが私の使命だと自負もしている。

ところが、離れたところから新日本プロレスを眺めると、まるで浸水し、沈没しかかった船のように見えた。図体がでかくなるほど転覆するのも早いものだ。

インディーズの団体を見ると、彼らはほとんど収入もないのに、プロレスが好きだという一点のみで頑張っている。貧乏かもしれないが、純粋なのは間違いないだろう。

ところが新日本のレスラーたちは、すべてを保証されている。一年休んでも、給料が会社から貰《もら》えるのだ。そのために選手の甘えが芽生えるし、組織も年功序列型で攻めの姿勢を忘れるようになってきた。

私が作った団体なのだから、潰《つぶ》れていくのを黙って見ているわけにはいかない。だが、眠ってしまった組織を目覚めさせるのは、並み大抵ではない。――それが橋本と小川が闘った一九九九年一月四日だったのである。

あの当時、新日本は大仁田厚を東京ドームに参戦させることを決め、大きな話題になっていた。しかし私はこれは危険だと感じていた。

大仁田がいいとか悪いとかいうことではない。受け入れる新日本にポリシーがきちんとあればいいのだ。しかし……。

大仁田は業界から一度は捨てられた男だ。地に這《は》いつくばって、自分なりの個性、生き残る知恵を絞ってここまでやってきたのだ。それが大仁田の「毒」だとすれば、その「毒」を撒《ま》かれてしまったとき、今の新日本にそれを制するだけの「毒」があるのか？　毒を制することが出来なければ、一時は客が増えたとしても、結果として受けるダメージは計り知れないことになる。

観客というのは非常に薄情だ。媚《こ》びを売ったって、明日は来てくれないかもしれない。横を向きかかっているものを、振り向かせるのは至難の技だ。それは私が自分の歴史の中で、体験してきたことなのである。

もし私が大仁田ならば、「俺なしでは、興行出来なくしてやるよ」と考えるだろう。そして、自分の名前がスポーツ紙の一面で踊れば、それだけで大成功だ。

その大仁田の「毒」に対して、お前の試合なんかクソくらえだと宣言したのが、小川が仕掛けた試合なのである。小川が完膚無きまでに橋本を叩《たた》きのめし、無効試合となったあの試合は大きな波紋を呼んだ。小川はリング上で「新日本プロレスのファンの皆様、目を覚まして下さい！」と叫んだのである。

そして小川は新日本のリングから追放されてしまった。

その半年後、坂口が会長に退き、藤波に社長の座を譲った。そのとき私は、藤波に一つだけメッセージを伝えた。プロレスとは夢を売る商売で、結局はファンのニーズに応えるのが正解なのだ、と。

新日本内部には、もうあいつらとは関わりたくないという声も強かったらしい。しかし藤波は彼なりの判断で、橋本と小川を再び闘わせることを決断したのである。

小川にあれだけ暴れられて、それでも黙っている新日本に対し、ファンも欲求不満を募らせていたと思う。勝ち負けも大事だが、男には誇りというものがある。あのまま小川と闘えなければ、橋本はもう終わっていただろう。

九九年十月の東京ドームで、橋本は小川に徹底的に投げられ、立会人である私は試合を止めた。壮絶なＴＫＯだった。

最近、詩を書いている私は、橋本に詩を贈った。

「馬鹿になれ／かいてかいて恥かいて／裸になれたら見えてきた自分の姿」

橋本も人知れず、苦しい日々を送っていたのだ。負けはしたが、いい顔になっていた。

この試合で一皮むけたことによって、彼はもうちょっと深い世界に入ることが出来る。

小川も橋本も、一連の闘いを通じて成長した。そしてそれが新日本にショックを与え、結果的に沈没を食い止めていると私は思っている。一年後の二〇〇〇年一月四日のドーム大会を見ても、少しずつ新しい動きに変わりつつある、変わろうとしていることは感じられた。

問題は、個々のレスラーたちが観客の反応をどう捉《とら》え、何に対しての拍手なのかを謙虚に判断出来るかなのだ。今やベテランになった武藤や蝶野にも言いたい。メーンだセミだという並びではなく、観客はどの試合を本当に見たくて会場に来ているのか。

必要なのは、「俺はそうはいかないぞ。あいつらに食われてたまるか」という気迫だ。いくらきれいな試合をしようと、どんなに技が切れようとも、ファンが新日本に期待しているのは、力道山から猪木へと伝わった「闘魂」なのだから。

――ところで橋本は、小川戦でのショックで、やっと体質改善をするつもりになり、二十キロ以上体重を落とした。

そのとき不足しているミネラルを調べるため、橋本の毛髪をシカゴ大学に送ったところ、信じられない数値が出たのである。重金属をはじめとする有害物質の量が、検査出来ないほど大量に検出されたのだ。

これはもう病気寸前というか、闘っていること自体が不思議なほどひどい肉体だということだ。持って生まれた強靱《きょうじん》な肉体があったから、何とか維持出来たのだろうが……。

有害物質を取り込むことによって、ミネラルのバランスが崩れ、疲れやすくなったり、精力が減退したり、いわゆるキレやすい状態になることは、もう周知の事実だ。アメリカでも銃の乱射事件など、若者のキレやすさが問題になっている。

つまり橋本はキレる寸前だったということだ。彼がもし女だったら、到底、正常な妊娠は望めないというような、恐ろしい値なのである。

そんな身体では回復力が著しく落ちている。そうなるとトレーニングでも試合でも、いくら気力を燃やそうとしても、まず痛みとの戦いに負けてしまう。悪循環である。

小川にしても、高田にしても、みんな爆弾を抱えて試合を続けている。我々は肉体が資本なのに、そのバランスが崩れているのだ。だから怪我《けが》が多くなり、不安だから補償が欲しくもなるし、結果としてファンが夢を持てない状況になってしまう。これも悪循環である。

私も引退前はボロボロの肉体だったが、自分を実験台にして様々な治療を続け、今ではあのひどかった腰痛も快復してきた。そういった私流のスポーツ医学も使い、橋本を甦《よみがえ》らせてみたいと思っている。

一芸に秀《ひい》でた人たちは、一線を退いた後、ほとんどが過去の遺産で食っているようだ。

しかし、私はどうもそれでは不満で、何か違う世界で自分の経験を生かすことは出来ないか、と考えてしまう。

ＵＦＯにしても、アントニオ猪木のすべてではなく、ごく一部に過ぎない。私は様々な夢の実現に向けて、活動を続けているのだから。

政治家でないからこそ動きやすいこともある。北朝鮮とのスポーツを通じての交流というテーマも、まだ続いている。誰かが扉を開かねばならない。近い将来には、また大きなイベントを開催する予定だ。

青少年のためのセミナーもやらせてもらっているし、環境、エネルギー、食糧問題にも相変わらず深い関心がある。ブラジルでの事業もそうだが、この三つは常に絡《から》み合っている。例えば食糧にしても、エネルギーのコストが下がることで、生産の効率が上がり、寒冷地や砂漠での供給が可能になってくるのだ。

メキシコでは百何十万世帯が電気なしで生活している。北朝鮮に行っても、平壌の外に出れば、夜は見渡すかぎり真っ暗だ。アフリカ、インド……全世界にはどれだけ、灯りのない家庭があることか。

あるとき、たまたま磁力を使った画期的なモーターが開発されていることを知った。非常にコンパクトな発電機のようなものだ。効率よくエネルギーを取り出すことは、これまで不可能とされていたのだが、ある技術でそれが可能になった。

その技術を使えば、一時間の充電でスクーターなら百キロ走ることが可能だという。私は実現に向けて手を貸すことになった。といっても、出資をするわけではない。発明が早く世に出られるようにお手伝いをするのである。

これはありとあらゆるものに応用出来る技術であり、もし普及したら、エネルギー革命になるだろう。

私の性分で、例えばこれで何億儲《もう》かりますよと言われても、どうも満足出来ないのである。どうせやるなら、世界がひっくり返るぐらいのことでないと、燃えないのだから困ったものだ。

もちろん夢はそれだけではない。

突然だが、今、アメリカは豆腐ブームだ。イソフラボンという重要な成分が、豆腐の中には凝縮されていて、健康食として売られている。

その豆腐をパンにしようとしても、ボロボロで不味《まず》いものにしかならなかった。それをある技術で美味《おい》しいパンにすることが出来るようになった。これを仮に豆腐パンと呼ぼう。その事業も私は手伝っている。

その豆腐パンに、日本人が一番不足しているマグネシウムなどを加え、制癌作用も持つ理想のパンを作った。マグネシウムには抗菌作用があるから、腐りにくい。味はまったくのパンで、むしろ香ばしい。

食生活を改善することで、現代病といわれるものは、かなり減少するのではないだろうか。膨れ上がっている医療費を抑えるためにも、自分の健康を守るためにも、この豆腐パンは役立つと思う。

引退して楽になるかと思ったら、とんでもなかった。プロレスではずっと旅暮らしで、政治家になったら全世界を駆け巡り、やっと引退したというのに、今でもあちこち飛び回ってほとんど家に帰れないのが実状だ。

ロスの家にいるときは、こんな感じで過ごしている。

朝、起きてから体操して外に飛び出し、八～十キロを一時間半ぐらいかけて早足で歩く。朝食後は子供を学校に送って行くこともある。息子はもう九歳になった。ときには女房とコーヒーを飲んだり、買い物に付き合うこともある。

午後からはダウンタウンのジムへ行く。ここでの誰にも影響されることのない時間は、私にとっては自分のリハビリ、エネルギーを充電する贅沢《ぜいたく》な時間なのである。

汗を流してから行きつけのバーに行き、知人たちと軽く飲む。七時頃には交通渋滞の時間も過ぎるので、事務所に寄って日本と連絡を取り、帰宅して家で夕食をとるか、客人とどこかへ食べに行く。

でもこんな一日は、月に数日しかないのだから……いつ女房に逃げられてもおかしくないと自分でも思う。これも私の使命なのだと、最近では思うようにしているが。

考えてみれば、これまでの人生、私はいつだって夢を追い、自分の感性や閃《ひらめ》きを信じ、計算しないで生きてきた。これからも夢を見続け、必要とされればどこにでも行き、全力を尽くすつもりだ。

また、どこか、意外なところでお会いするかもしれない。

この本を読んでくれたすべての人に感謝の気持ちをこめて、最後にメッセージを送らせていただこう。

道はどんなに険しくても、笑いながら歩こうぜ！

写真提供

1 猪木事務所
2 猪木事務所
3 東京スポーツ
4 東京スポーツ／ベースボール・マガジン社
5 猪木事務所／ベースボール・マガジン社
6 スポーツニッポン新聞社
7 スポーツニッポン新聞社
8 新大阪新聞社
9 新日本プロレス
10 猪木事務所
11 猪木事務所
12 猪木事務所
13 新潮社写真部

この作品は一九九八年五月『猪木寛至自伝』として新潮社より刊行された。
文庫化にあたり改題、エピローグ（書下ろし）を加えた。

アントニオ猪《いの》木《き》自《じ》伝《でん》

新潮文庫　い－53－1

平成十二年三月一日発行
令和四年十月二十五日十一刷

著者　猪《いの》木《き》寛《かん》至《じ》
発行者　佐藤隆信
発行所　株式会社新潮社
郵便番号　一六二―八七一一
東京都新宿区矢来町七一
電話　編集部(〇三)三二六六―五四四〇
読者係(〇三)三二六六―五一一一
http://www.shinchosha.co.jp

価格はカバーに表示してあります。

乱丁・落丁本は、ご面倒ですが小社読者係宛ご送付ください。送料小社負担にてお取替えいたします。

印刷・株式会社光邦　製本・株式会社植木製本所

ISBN978-4-10-129721-7 C0123